JN067724

やさしい文学レッスン

「読み」を深める20の手法

小林真大
Kobayashi Masahiro

雷鳥社

やさしい文学レッスン

「読み」を深める20の手法

はじめに

このページを読んでいるあなたは、「文学」というタイトルの言葉に興味を惹かれて、この本を手にとっているのではないでしょうか。文学は、かけがえのない存在です。新しい小説を読むたびに、私たちは新鮮なおもしろさや喜びを味わうことができます。また、先行きの不透明な現代社会の中で、どう生きるべきかという人生の重要な指針を、登場人物の生きざまや苦しい葛藤から見いだすこともあるでしょう。文学作品を読むことによって、人生の本質を探究することができるのです。

しかしながら、私たちは時として、**文学の楽しさを十分に味わっていない**こともあるのではないでしょうか。

もちろん、文学作品を読むことにはこれといったルールはありません。好きなものを好きなように読むことこそ、文学の良さと言ってもいいでしょう。ですが、自分の好みにこだわる結果、さまざまな文学作品を味わう機会を逃してしまっていることもあるのではないでしょうか。なかには、世間から高く評価されている小説のおもしろさが理解できなかったり、有名な作家が書いた小説だからと思って読み始めたら、まったく意味が分からず、結局期待はずれに終わってしまったりという経験をした人も、少なくありません。

また、とてもおもしろいと思った小説を発見した際、いったいなぜこの小説はこれほど魅力的なのか、その理由を他人にうまく説明できず、もどかしい思いをすることもあるでしょう。そのような場合、なんとかしておもしろさの秘密を知りたいと考えるかもしれません。

作品の言葉をゆっくり、注意深く読んでみると、そこには作家が生みだしたすぐれたテクニックが秘められていることに気がつきます。本書では、作品にどのようなテクニックが用いられているのか、それがどのような効果や役割を担っているのかといった点について、二〇個のレッスンに分けて解説しました。一つひとつのレッスンを通して、いろいろな文学作品を違った角度から楽しみ、新しい読解の方法を身につけることが本書のねらいです。そのため、最初から通読していただいても結構ですし、気になったキーワードがありましたら、そこから読み始めてもかまいません。

ぜひ本書を通して、文学の楽しさをよりいっそう深く味わってみてください。

文学作品を読み解くレッスン

文学作品を読み解くレッスン

1 読み

最初のレッスンで考える文学のキーワードは、文学の「読み」そのものです。一般的に小説を読む際、ストーリーの「おもしろさ」や言葉の「美しさ」に惹かれる場合が多いのではないでしょうか。

もちろん、自分なりの読み方で楽しさを味わうことは可能です。しかしながら、「はじめに」でも述べたように、文学をもっと深く味わうためには、作品をさまざまな視点から読むことができるような、新しい読解のスキルが必要になります。そうしたスキルを身につけることができれば、今まで見えていなかった作家のテクニックを発見することができ、私たちの読書はより豊かなものとなることでしょう。

◆トドロフによる「読み」の分類

それでは、作品を味わうために、物語をどのように読んでいけば良いのでしょうか？言いかえれば、楽しさを見いだせる作品の「読み方」とは、どのような読み方なのでしょうか？　この点について考えたのが、フランスの思想家であるツヴェタン・トドロフ[*1]です。トドロフは『散文の詩学』の中で、作品を鑑賞するための読み方には、次の三つの手法があると指摘しました。[*2]

【投影】

一つ目は、「投影」と呼ばれる読み方です。投影とは、作品を読みながら、作品が作られた背景を分析するという方法を指します。例えば、芥川龍之介[*3]の短編『蜜柑（みかん）』について考

＊1　ブルガリア出身、フランスの思想家（一九三九〜二〇一七）。ロラン・バルトの指導のもと、『小説の記号学─文学と意味作用』を著して、構造主義的文学批評の先駆をなした。

＊2　トドロフはこれ以外にも「詩学」という研究方法を論じていますが、本書の内容とは関係ないので割愛します。

＊3　小説家（一八九二〜一九二七）。多種の材料を東西の文献資料に渉猟し、題材に応じてさまざまな様式を使い分け、さらに文体上の新機軸に腐心するなど、新技巧派の代表作家として知られた。晩年は転換期にさしかかった時代の動向に反応して虚無的心情を深め、自殺を遂げた。

えてみましょう。

『蜜柑』は、大正時代の横須賀駅を舞台とした小説です。疲労と倦怠感にさいなまれている語り手は、列車の中で出会った、貧相で汚らしい少女に嫌悪感を抱きます。しかしながら、やがて語り手の認識を一変させる出来事が起こります。列車がある踏切に差しかかったとき、その踏切の前にはみすぼらしい、小さな男の子たちが立っていました。すると彼女は突然、列車の窓から身を乗り出して、自分が持っていた蜜柑を男の子たちに渡したのです。それを見た語り手は、少女がこれから遠いところへ出稼ぎに行かなければならないこと、そしてそのような不幸な身にもかかわらず、弟たちに自分の蜜柑を分け与えようとしたことを悟ります。物語は、語り手が何とも言えないさわやかな気持ちになったところで幕を閉じます。

さて、投影という読み方では、作品を作者や当時の社会状況と関連づけて考えます。例えば、芥川は当時、作家業に専念したいと思っていましたが、生活のためにやむなく横須賀の学校で教師として働かざるを得ない状況にありました。さらに、作風も徐々にマンネリ化しており、創作上の行き詰まりにも直面していました。そのとき、ちょうど大阪毎日新聞社からの誘いもあって、芥川は教職を辞めることを決意します。つまり、『蜜柑』が執筆されていた当時、芥川は仕事からの解放という、うれしい出来事を迎えていました。したがって、『蜜柑』に描かれている強烈な感動というのは、芥川がその頃感じていた、さわやかな解放感を物語に「投影」した結果であるという「読み」が可能となるのです。*4

同じように、『蜜柑』を当時の社会的背景に照らして考えることもできます。『蜜柑』のテーマは、貧しい少女が抱く、自己犠牲的な愛と言えるかもしれません。このようなヒューマンドラマが描かれた背景として、「大正デモクラシー」という社会的状況を指摘する批評家もいます。当時の日本では、民主主義や自由主義の考え方が広く浸透し、多くの知識人が人権やヒューマニズムを大切にする考えを抱いていました。『蜜柑』も、こうした時代的な風潮が「投影」された作品として分析することができるのです。*5

【論評】

二つ目は、「論評」と呼ばれる方法です。先に挙げた投影という読み方が作品の外に目

＊4　川端俊英「芥川龍之介の『蜜柑』」『国語教育研究（26上号）』、広島大学教育学部光葉会、一九八〇年、二六〇～二六三頁。

＊5　同上、二六五頁。

を向けている一方、論評はあくまでも作品の内に目を集中させます。これはいわゆる「精読（クロース・リーディング）」と呼ばれているもので、現在の教育界で最もスタンダードな読み方となっています。[*6] 論評の実践例として、『蜜柑』における冒頭の場面を分析してみましょう。

或曇った冬の日暮である。私は横須賀発上り二等客車の隅に腰を下して、ぼんやり発車の笛を待っていた。とうに電灯のついた客車の中には、珍らしく私の外に一人も乗客はいなかった。外を覗くと、うす暗いプラットフォオムにも、今日は珍しく見送りの人影さえ跡を絶って、唯、檻に入れられた小犬が一匹、時々悲しそうに、吠え立てていた。[*7]

論評という読み方では、次のように文章を一文ずつ、丹念に読み解いていきます。[*8]

或曇った冬の日暮である。

この一文からはまず、物語が冬の夕暮れどきに起こった出来事であることが分かります。

「曇った冬の日暮」というフレーズからは、どんよりとした重苦しい雰囲気を連想することができるかもしれません。暗くて憂うつなイメージが、書き出しから物語を支配しているのです。

私は横須賀発上り二等客車の隅に腰を下して、ぼんやり発車の笛を待っていた。

次の文では、「横須賀」という物語の舞台が描かれています。「ぼんやり」という言葉からは、語り手が列車に乗ることにあまり乗り気ではなかったことがうかがえるでしょう。また、「待っていた」という受け身の姿勢からは、語り手が抱いている「やるせなさ」や「けだるさ」が感じられるかもしれません。

＊6　ロバート・スコールズ『スコールズの文学講義―テクストの構造分析にむけて』高井宏子ほか訳、岩波書店、一九九二年、二一八頁。
＊7　芥川龍之介『蜜柑・尾生の信』岩波書店、二〇一七年、一三〇頁。
＊8　以下の『蜜柑』分析は『ちくま小説入門―高校生のための近現代文学ベーシック』（紅野謙介・清水良典編、筑摩書房、二〇一二年）に基づいています。

とうに電灯のついた客車の中には、珍らしく私の外に一人も乗客はいなかった。

ここでは、「私の外に一人も乗客はいなかった」と述べていることから、物寂しい雰囲気が語り手を包み込んでいることが推測できます。

外を覗くと、うす暗いプラットフォオムにも、今日は珍しく見送りの人影さえ跡を絶って、唯、檻に入れられた小犬が一匹、時々悲しそうに、吠え立てていた。

「檻に入れられた小犬」というフレーズは、孤独な語り手のことを暗示しているのかもしれません。さらに、「うす暗いプラットフォオム」という言葉は、空間的な広がりがある分、語り手の孤独感をより一層読者に感じさせています。

このように、論評＝精読の読みでは、ストーリーの内容を把握するだけでなく、文章に登場するさまざまなレトリックや心理描写を分析していく手法であると言えるでしょう。

【読み】

三つ目は、単純に「読み」と呼ばれるものです。「読み」は、文学作品を一つの大きな「システム」と見なして、その構造を分析していく手法です。作品をパーツごとに分けていき、それらがどのように物語全体と関係しているのかを調べていきます。一例として、批評家のロラン・バルト[*9]による物語分析を見てみましょう。バルトは、フランスの作家オノレ・ド・バルザック[*10]の中編小説『サラジーヌ』の構造分析を行いました。

『サラジーヌ』は、一九世紀のローマを舞台にした小説です。フランス人の彫刻家サラジーヌは、ある日オペラを観ている最中に、ラ・ザンビネッラという、美しい歌手に一目ぼれをしてしまいます。サラジーヌは毎晩オペラ劇場に通いつめるうちに、彼女を自分のものにしたいと考え、彼女を誘拐しようと決意します。しかしながら、誘拐の直前に発覚し

＊9　フランスの文学者（一九一五〜八〇）。ソシュールの影響を受け、言葉に対して独自の思想的立場を提唱した。著書に『物語の構造分析』『モードの体系―その言語表現による記号学的分析』など。

＊10　フランスの小説家（一七九九〜一八五〇）。三〇歳になって以後、次々とすぐれた長編小説を発表。これらは『人間喜劇』の総題のもとにまとめられている。作品には並み外れた情熱に身を焼かれる強烈な個性の人物たちが現れ、歴史を超えた普遍的人間像を描き出すのに成功している。

たのは、なんとザンビネッラが女装をした男であったという事実だったのです。これに激怒したサラジーヌは、ザンビネッラを殺そうとしますが、ザンビネッラのパトロンであったチコニャーラ枢機卿の手により、逆にサラジーヌ自身が命を落として物語は幕を閉じます。

『サラジーヌ』はわずか三〇頁程度の短い小説ですが、バルトはこれを実に二〇〇頁以上にわたって分析しています。まずバルトは、この物語を分解して、五六一個のパーツに分けました。彼はこうして分けられた一つひとつのパーツを、「レクシ」（短い断片）と呼んでいます。[*11] 次に、それぞれのレクシを読み解くために必要な、五つのコードを作りました。

〈1〉行為のコード（ACT）……登場人物の行為とその結果に関するコードです。「ドアをノックする」「歌をうたう」などのささいな行為から「求愛する」や「逃走する」などの重要な行為まで、物語に登場するあらゆる行為が含まれます。

〈2〉解釈のコード（HER）……物語で発生するさまざまな謎（これはどういう意味か、彼は何者なのかなど）や、その解答に関するコードです。問いに対する答えをじらすために挿入される、さまざまな事件や言い回しもこのコードに含まれます。例えば、「どうでしょうかねえ?」というセリフは、肯定とも否定とも受けとれるあいまいな言葉であり、解釈のコードの一つと言えます。

〈3〉文化のコード(REF)……物語の文化的背景についてのコードです。具体的には、私たちが社会で共有している、さまざまな固定観念が挙げられます。「急がば回れ」ということわざや、「GoToキャンペーン」といった流行語も文化のコードに該当します。

〈4〉意味素のコード(SEM)……ある言葉が文字通りの意味ではなく、その言葉の背後にある別の意味を伝えている場合、意味素のコードに含まれます。例えば、「とても元気なお子さんですね」という言葉は、ときに「あなたのお子さんは乱暴者だ」という、まったく別の意味に解釈できるかもしれません。したがって、このフレーズは意味素のコードに当てはまると言えます。

〈5〉象徴のコード(SYM)……これは意味素のコードと似ていますが、意味素のコ

*11 ロラン・バルト『S/Z—バルザック「サラジーヌ」の構造分析』沢崎浩平訳、みすず書房、一九七三年、一六頁。

ードをもっと深く掘り下げたコードで、物語に潜む二項対立[12]やテーマを浮き彫りにするフレーズが該当します。具体的には「男と女」や「肉体と精神」といった、根本的な対立的概念などが挙げられます。

バルトは『サラジーヌ』を分析する際に、これら五つのコードを用いました。一例として、レクシ二三一番の「君はライバルの心配をする必要はないよ」という文について考えてみましょう。このレクシは、ザンビネッラの友人が主人公のサラジーヌに対して述べている言葉です。サラジーヌはこの言葉を、「ザンビネッラが自分を愛している」という意味として誤解し、結果として誘拐の決意を固めてしまいます。しかしながら、すでにザンビネッラが男であることを知っている読者は、「女装した男を愛する人なんて君のほかには誰もいない」というように、まったく別の意味で解釈することになるのです。

このレクシは、バルトが述べるように「第一の聞き手に関しては誤りを誘い、第二の聞き手にとっては真実を告げ」、「あらゆる言葉遊びの基盤である二重解釈[13]」を生みだすものにほかなりません。したがって、このレクシは解釈のコードに属していることが分かります。このようにバルトは、独自のコードを導入することによって、『サラジーヌ』に隠された言葉の構造を分析したのです。

もちろん、バルトが行った「読み」にも問題点はあります。そもそも、バルトが考案した五つのコードは、彼が勝手に作り上げたものにすぎません。当然、これ以外のコードを考え出すことも可能であると言えます。一例として、フランスの言語学者ピエール・ギローは、バルトとはまったく異なる三つのコード（論理的コード、美学的コード、社会的コード）を用いて作品を分析しています。一方、イタリアの批評家ウンベルト・エーコは、知覚のコードや認知のコードなど、一〇にもわたるコードを提案しています。バルトが用いた五つのコードは、『サラジーヌ』を分析するためには有用かもしれませんが、他の批評家が他の文学作品を分析する際にも適用できるとはかぎらないのです。

◆ 鋭敏な批評力を育てる

さて、ここまで私たちは、トドロフが分類した「投影」「論評」「読み」という三つの手法

＊12　二つの概念が矛盾または対立の関係にあること。内側と外側、男と女、主体と客体、西洋と非西洋など。（『デジタル大辞泉』、小学館）

＊13　バルト、前掲書、一五〇頁。

を見てきました。それでは、これらのうち、どれが最もすぐれた読み方なのでしょうか？実は、絶対に正しい読み方というものは存在しません。なぜなら、どの読み方にもすぐれた点があるからです。例えば、「投影」は、作品を「現実の世界」とつなげるうえで有用な方法です。「読み」も、作品の構造を分析するうえではとりわけ重要なプロセスと言えるかもしれません。つまり、どのような読み方がふさわしいのかは、読む目的によって異なるのであり、それぞれの読み方に明確な優劣は存在しないのです。

しかしながら、本書ではあえて、トドロフが「論評」と呼んでいる読み方、すなわち「精読」という手法に基づいて作品を読んでいきます。文学作品を「精読」することはなぜ必要なのでしょうか？　一つには、前にも述べたように、現代の文学教育において「精読」が必須とされていることが挙げられます。批評家のロバート・スコールズもこの点について次のように述べています。

論評……は、アメリカの教育界での支配的な批評モードである。それは我々が教育しようとしているアメリカの人口の比率を前提とすると、教育のあらゆるレベルにおいて読みの問題がでてくるというもっともな理由による。詩を読むことのできない大学生は、散文で苦労する高校生を一歩進めたものにすぎない。*14

スコールズが指摘しているように、目の前におかれた文章を丹念に研究する精読の手法は、現在でもアメリカにおける文学教育のベースとなっているのです。*15

二つ目に、精読という手法は私たちの生活と密接な関わりを持っています。例えば、文学者の浜本純逸は、精読の重要性についてこう指摘しています。

「比喩・イメージ・対比・反復・描写・象徴」などが文学的認識の方法である。[中略]時と場に応じてこのような表現方法を使いこなせるようになると、学習者は、自己の感じたことや思想を表現できるようになり、生活認識の方法に転化する。[中略]自己と自

＊14　スコールズ、前掲書、二一八頁。
＊15　孫崎玲「20世紀アメリカ文学批評史を考える」『〈国語教育とテクスト論〉』（鈴木泰恵ほか編、ひつじ書房、二〇〇九年）所収、二九四頁。

己を取りまく状況を批評する力となる。[*16]

浜本も述べているように、作品の精読は、私たち自身の生き方そのものを批評する態度へとつながります。例えば、小説の中に「時間を稼ぐ」「時間を節約する」「時間を浪費する」といった比喩があらわれているとしましょう。私たちは、作家がなぜ時間を「お金」にたとえているかについて考えることができます。もしかしたら、こうした比喩表現は、私たちの文化において時間がどのような存在と見なされているのかを知る手がかりとなるかもしれません。このように、文学の「読み」を身につけることは、私たちの社会について理解し、どのように生きていくかを考えるうえで、きわめて重要だと言えるのです。

＊16　浜本純逸監著『文学の授業づくりハンドブック―授業実践史をふまえて（第4巻）中・高等学校編』渓水社、二〇一〇年、一九頁。

2 書き出し

普段、私たちは文学作品の冒頭をさらっと読み進めてしまいがちです。とりわけ、はやく小説の展開が知りたい人にとってはなおさらでしょう。しかしながら、書き出しは作品を読み解くためのヒントを与えてくれる、重要なキーワードでもあるのです。

例えば、書き出しの言葉は物語全体のテーマを予告していることがあります。冒頭の一文の中に、その物語のテーマがいわば模型のように映し出されているのです。まずは、横光利一（よこみつりいち）[*1]の小説『上海』を見てみましょう。『上海』は、中国の上海で起こった反日暴動[*2]を背景に、革命の渦に巻き込まれた日本人の男女を描いた物語です。

物語の書き出しは、「満潮になると河は膨れて逆流した」という一節から始まっています。一見すると、このフレーズは上海市内を流れる河の様子を、そのまま描写しているように思えるかもしれません。しかしながら、物語を読み進めていくうちに、激しい河の流れを描いたこの書き出しが、革命の予告として機能していることが明らかになります。実際、物語のクライマックスでは、群衆が奔流のように行進していくさまが次のように生き生きと描かれています。

> 爆(はじ)ける水の中で、群衆の先端と巡邏(じゅんら)[*3]とが転がった。しかし、大廈(たいか)[*4]の崩れるように四方から押し寄せた数万の群衆は、忽(たちま)ち格闘する人の群れを押し流した。街区の空間は今や巨大な熱情のために、膨れ上がった。[*5]

このように、「満潮になると河は膨れて逆流した」という書き出しは、怒り狂った群衆のイメージと重なり合うことで、まさに革命という物語のテーマを暗示する役割を担っていたのです。

同様の例は三島由紀夫[*6]の小説『金閣寺』にも見られます。『金閣寺』は、京都のある学僧が金閣寺の美に取り憑(つ)かれ、最後には金閣寺に放火してしまうという、実際に起こった事件をモデルにした小説です。この物語の書き出しは、「幼時から父は、私によく、金閣の事を語った」という一節から始まっています。これも、パッと見たかぎりでは何気ない書き出しのように思えるかもしれません。しかしながら、ここで語り手が父親の言葉から金閣の話を聞いていることに注目してください。主人公は金閣を自分の目で見たわけではありません。むしろ、他者からの言葉によって、金閣は美しいものであるという意識を、いわば心に植えつけられたのです。

この書き出しから導き出されるテーマは、「他者の発する言葉が、自己の内面を作り出す」というメッセージにほかなりません。現に、他者の言葉によって主人公の内面の世界

＊1 小説家（一八九八～一九四七）。『文藝春秋』創刊に際し同人となり、『日輪』『蠅』を発表、新進作家として知られる。伝統的私小説とプロレタリア文学に対抗し、新しい感覚的表現を主張、〈新感覚派〉の代表的作家として活躍した。

＊2 一九二五年五月三〇日に上海で勃発した中国の学生および労働者による革命運動、いわゆる五・三〇事件のこと。

＊3 警備員のこと。

＊4 大きな建物という意味。

＊5 横光利一『上海』岩波書店、二〇〇八年、二一二頁。

＊6 小説家、劇作家（一九二五～七〇）。透徹した方法論のもとに緻密な世界を築いたが、その作風は唯美主義から古典的均整を求める方向に移行し、『金閣寺』や『橋づくし』で一つの頂点に達した。以後思想的に右傾し、独自の文化防衛論を説くが、果たさず、割腹自殺した。

が構築されていくというパターンは、物語の中で何度も現れることになります。例えば、主人公の母親が彼に言い放った、「あんたは金閣寺の住職になるほかないんやで」という一言は、金閣寺を我が物にできるという独占欲を彼の心に芽生えさせました。さらに、彼は金閣寺を燃やす一歩手前のところで放火を躊躇(ちゅうちょ)してしまうのですが、そこで臨済録(りんざいろく)[*7]の言葉が彼の心によみがえったことで、主人公は無力から解放され、ついに金閣寺に放火することになります。批評家の遠藤伸治も指摘しているとおり、『金閣寺』の書き出しの言葉は、他者の言葉が人間の内面を形成するというパターンを暗示するものだったのです。[*8]『上海』にせよ『金閣寺』にせよ、両者に共通しているのは、作品のテーマをあらかじめ冒頭で暗示するという巧みな技法であると言えるでしょう。

◆書き出し＝焦点を定めるパターン

一方、書き出しに少しひねりを効かせることで、物語のテーマに読者の注意を向けさせるパターンもあります。例えば、安部公房[*9]の小説『砂の女』を見てみましょう。『砂の女』（新潮文庫）の裏表紙には、次のようなあらすじが書かれています。

砂丘へ昆虫採集に出かけた男が、砂穴の底に埋もれていく一軒家に閉じ込められる。考えつく限りの方法で脱出を試みる男。家を守るために、男を穴の中にひきとめておこうとする女。そして、穴の上から男の逃亡を妨害し、二人の生活を眺める部落の人々。

このあらすじだけを読むと、私たち読者は主人公が果たして砂の村から脱出できるのか、興味をそそられるに違いありません。しかしながら、そうした読者の期待を裏切るかのように、『砂の女』の書き出しは次のような文章で始まっているのです。

八月のある日、男が一人、行方不明になった。休暇を利用して、汽車で半日ばかりの

＊7　中国、唐の禅僧である臨済が語った言葉をまとめた本。
＊8　遠藤伸治『「金閣寺」論』「国文学攷（107）」広島大学国語国文学会、一九八五年、三三〜四七頁。
＊9　小説家、劇作家（一九二四〜九三）。戦後文学賞受賞作『赤い繭』、芥川賞受賞作『壁―S・カルマ氏の犯罪』で注目を浴びた。ほかにも『砂の女』、『他人の顔』などで社会や人間関係の閉鎖性と脱出の可能性を超現実的、前衛的手法で追求した。

海岸に出掛けたきり、消息をたってしまったのだ。捜索願も、新聞広告も、すべて無駄におわった。[*10]

なんと、ここですでに語り手は、主人公が戻って来なかったと述べています。いわば、物語の結末をバラしてしまっているのです。物語の結末が分かってしまうと、小説はおもしろくありません。例えば、「今日、東野圭吾の新作を買ったんだ」と友人に伝えたとしましょう。そのとき、もしも「あ、それならオレもう読んだよ。犯人は被害者の恋人なんだよね」と友人から言われてしまったら、この小説を読むおもしろさはなくなってしまうのではないでしょうか。しかしながら、『砂の女』において、作者は物語の結末を先に述べているのです。安部公房はなぜこのような書き方をしたのでしょうか?

もし仮に、主人公が脱出できるかどうかを冒頭で書かなかった場合、私たちは絶えずその点に注意を向けてしまうことになります。読者は主人公がいったい脱出できるかどうかという、一種のサバイバル・ストーリーとしてこの物語を読むようになるでしょう。しかしながら、物語の展開にばかり注意を向けてしまったら、読者は主人公が「なぜ」脱出しなかったのかという謎について考える余裕がなくなってしまうかもしれません。そうであれば、作者があえて書き出しに物語の結末を述べていることにも納得がいきます。このような構成によって、私たちは「主人公が脱出しない本当の理由」に焦点を当てて読んでいくことができるのです。反対に、次のような書き出しから物語が始まったら、読者はどう感じるでしょうか?

ある八月の午後、大きな木箱と水筒を、肩から十文字にかけ、まるでこれから山登りでもするように、ズボンの裾を靴下のなかにたくしこんだ、ネズミ色のピケ帽の男が一人、S駅のプラットホームに降り立った。[*11]

もちろん、これは普通の小説として読む分には、まったく問題ない書き出しかもしれません。しかし、先ほども述べたように、私たちは物語の結末を知らないため、ついつい主人公の行動にばかり目がいってしまい、「男はなぜ失踪したのか」という重要なテーマを

＊10 安部公房『砂の女』新潮社、二〇〇三年、五頁。
＊11 同上、八頁。

考えるゆとりがなくなってしまうでしょう。このように、安部公房は物語のオチをわざと先に述べてしまうことで、読者に一番大切なテーマを考えてもらうよう工夫を凝らしていたのです。

◆書き出し＝事前情報を伝えるパターン

ほかにも、書き出しが読者を物語の世界へといざなう、ガイドのような役割を果たしているパターンがあります。この点について、イギリスの小説家デイヴィッド・ロッジも『小説の技巧』の中で次のように述べています。

> 小説の冒頭は、われわれが住む現実世界と、小説家の想像力によって生み出された世界とを分ける敷居に他ならない。したがって、まさに作家がわれわれを中に「引きずり込む」場所であると言っていい。
> 一口に引きずり込むといっても、これは容易なことではない。なにせわれわれ読者はまだその作家の語調、語彙、文法に慣れていないのだから。*[12]

ロッジがこう指摘しているように、文学作品は映画や漫画とは違って、風景や人物に関する視覚的な情報が一切ありません。例えば映画を見る場合、「これは東京のシーンだな」「買い物帰りの若い女性が歩いているな」といった、場面に関するさまざまな情報が、すぐに頭の中に入ってくることでしょう。ところが、小説を読むとなるとそうはいきません。私たちは物語の場面や登場人物について知るために、一行ずつていねいに文を読んでいく必要があります。つまり、読者の側に大きな努力が求められることになるのです。

言いかえれば、書き出しというのは、読者に物語の設定を分かりやすく紹介するという重要な役割を担っています。もしも物語の冒頭で何が起きているのかがまったく分からなかったら、読者は物語を読む気になれないかもしれません。したがって、書き出しの言葉は、どれだけの情報を読者に与えることができるかという点において、非常に重要な鍵を握っていると言えるのです。実際、二〇世紀に入るまで、小説の伝統的な作法とは、物語に関する予備知識をあらかじめ書き出しに記しておくというものでした。ストーリーが始まる前に、主人公の外見、家族関係、身分、時代、社会、さらには住んでいる家の造りま

＊12　デイヴィッド・ロッジ『小説の技巧』柴田元幸・斎藤兆史訳、白水社、一九九七年、一五頁。

で描いておくことはめずらしくなかったのです。
実例をフランスの作家スタンダール[13]の小説『赤と黒』に見てみましょう。

> ヴェリエールの小さな町はフランシュ-コンテのもっとも美しい町の一つにかぞえることができる。赤瓦の、とがった屋根の白い家々が丘の斜面にひろがっていて、そこへ勢いよく成長した栗の木の茂みが、丘のごくわずかな起伏までもくっきり描き出している。[14]

小説の冒頭で、スタンダールは物語の舞台となるフランスの小さな田舎町ヴェリエールの情景をていねいに描いています。このように、書き出しで物語の場面設定を詳しく述べることにより、読者が容易に物語の世界に入っていけるように工夫しているのです。

明治時代の日本でも、こうした小説の伝統作法に則(のっと)った作品が数多く生まれました。一例として、森鴎外[15]の小説『青年』の書き出しを見てみましょう。『青年』は、主人公の小泉純一が作家になることを決意して上京し、そこでさまざまな人間と交流を重ねることで、精神的に成長していく物語です。

小泉純一は芝日陰町(しばひかげちょう)の宿屋を出て、東京方眼図を片手に人にうるさく問うて、新橋停留場から上野行の電車に乗った。目まぐろしい須田町(すだちょう)の乗換も無事に済んだ。さて本郷[*16]三丁目で電車を降りて、追分から高等学校に附いて右に曲がって、根津権現(ねづごんげん)[*17]の表坂上にある袖裏館(そでうらかん)という下宿屋の前に到着したのは、十月二十何日かの午前八時であった。[*18]

このたった数行の書き出しが、どれほど多くの情報を読者に提供しているのかという点に注目してください。ここでは、主人公の小泉が東京にいること、また具体的にどのよう

＊13 フランスの作家（一七八三〜一八四二）。ナポレオンの没落後イタリアに住み、芸術論や『恋愛論』を書く。ほかにも『赤と黒』『パルムの僧院』などの傑作を書き上げる。意志と情熱に満ちた人物たちの若々しい行動を無駄のない文体で綴った彼の作品は、近代小説の代表とされている。

＊14 スタンダール『赤と黒（上）』桑原武夫・生島遼一訳、岩波書店、一九五八年、五頁。

＊15 小説家（一八六二〜一九二二）。小説『キタ・セクスアリス』『青年』『雁』などを発表、夏目漱石と並ぶ反自然主義の巨匠と目された。大正期には『阿部一族』や『山椒大夫』、『高瀬舟』などの歴史小説に新しい分野を開き、『渋江抽斎』ほかの史伝でその頂点をきわめた。

＊16 東京都文京区の南東部の地区。東京大学があることで有名。

＊17 東京都文京区東部の根津に鎮座する神社。

＊18 森鷗外『青年』岩波書店、二〇一七年、五頁。

な場所へ向かっているのかが時系列で書かれています。このように、物語の時間と場所をあらかじめ書き出しに書いておくことで、森鴎外は読者がテンポよくストーリーを読み進めていくことができるように工夫していたのです。

◆書き出し＝読者に不条理を突きつけるパターン

一方、現代文学と呼ばれる作品の特徴は、このような伝統的な書き出しを真っ向から拒否する傾向にあります。実際、二〇世紀以降に書かれた物語には、あたかも読者の予想を裏切るように、冒頭から読み手を混乱させるものが少なくありません。典型的な例として、フランスの作家アルベール・カミュ[*19]の『異邦人』を見てみましょう。

きょう、ママンが死んだ。もしかすると、昨日かも知れないが、私にはわからない。養老院から電報をもらった。「ハハウエノシヲイタム、マイソウアス」これでは何もわからない。恐らく昨日だったのだろう。[*20]

自分の母親が亡くなってしまったら、誰でも少しは動揺するはずです。思わず泣いてしまうことだってあるかもしれません。ところが、この物語の主人公は母親の死に対して、平静さをまったく失っていません。むしろ、母親の死をあたかも他人事のように述べたり、いつ亡くなったのかを気にしたりしているだけなのです。もちろん、主人公と母親との仲が良くなかったという可能性もあるかもしれません。しかし、主人公は母親のことをなぜか「ママン」という愛情の込もった言葉で呼んでいます。ということは、主人公は逆に母親を愛していたのでしょうか？　謎は深まるばかりです。このように、この物語の書き出しは私たちの常識を拒み、読者を混乱の渦に巻き込んでいることが分かります。『異邦人』が「不条理[*21]小説の代表作」と呼ばれる理由も、こうした「分からなさ」にあると言えるでしょう。

＊19　フランスの小説家（一九一三～六〇）。一九四二年に小説『異邦人』を発表、人間の運命の不条理と、運命に反抗して自由を求める人間の尊厳とを説き、『ペスト』ではさらに、残酷な運命を前にしての人間の行動と連帯の必要を主張。一九五七年にノーベル文学賞を受賞した。

＊20　アルベール・カミュ『異邦人』窪田啓作訳、新潮社、二〇一二年、六頁。

＊21　世界には何の意味もなく、それを見いだす人間の企ては成功しないという考え。

読者の予想を裏切るという点においては、フランツ・カフカ[*22]の作品も引けを取りません。カフカの代表作『変身』の冒頭を読んでみましょう。

ある朝、グレーゴル・ザムザがなにか気がかりな夢から目をさますと、自分が寝床の中で一匹の巨大な虫に変っているのを発見した。彼は鎧（よろい）のように堅い背を下にして、あおむけに横たわっていた。[*23]

ここで読者は、何の脈絡もなく、主人公が虫に変身するという意味不明な設定をいきなり突きつけられることになります。なぜ主人公が虫に変身してしまったのか、そもそもグレーゴル・ザムザとは誰なのかが、まったく書かれていないのです。このように、『変身』の書き出しは、唐突に読者を混乱の世界に巻き込んでしまうという点で、とりわけ奇抜なものであることが分かります。不条理文学と呼ばれる作品の多くは、書き出しからすでにその特徴を露（あら）わにしていると言えるでしょう。

＊22 プラハ生まれのドイツ語作家（一八八三〜一九二四）。生前は無名に等しかったが、死後出版された作品は世界の文学界に衝撃を与え、二〇世紀ドイツ文学を代表する作家の一人と認められた。主著に『変身』『審判』『城』など。

＊23 フランツ・カフカ『変身』高橋義孝訳、新潮社、二〇一一年、五頁。

3 登場人物

あなたの好きな主人公は誰でしょうか？

答えはきっと人によって異なることでしょう。古典文学が好きな人は、『源氏物語』の「光源氏」かもしれませんし、近代文学が好きな人は、『こころ』の「先生」や『人間失格』の「大庭葉蔵」かもしれません。ミステリー小説のファンであれば江戸川乱歩[*1]が生んだ「明智小五郎」や、横溝正史[*2]の「金田一耕助」、ライトノベルならば、『やはり俺の青春ラブコメはまちがっている。』の「比企谷八幡（ひきがやはちまん）」や、『ダンジョンに出会いを求めるのは間違っているだろうか』の「ベル・クラネル」あたりでしょうか。

どのジャンルにおいても、主人公は忘れがたい強烈な印象を与える、きわめて重要な存在です。大庭葉蔵の苦悩は、現代人のエゴイズムについて考えさせてくれますし、金田一耕助のするどい推理は、私たちを今なお魅了し続けることでしょう。それでは、こうした主人公たちに共通する特徴とは、いったい何でしょうか？　主人公という存在は、物語の展開においてどのような役割を果たしているのでしょうか？　この章では、私たちを惹きつける主人公の謎に迫ります。

◆前田愛による主人公の条件

まず考えたいのは、「そもそも主人公とは誰のことを指すのか？」という問題です。一見、こんな問題は作品を読めばすぐ分かると思えるかもしれません。たしかに、物語の中には『ONE PIECE』や『NARUTO－ナルト－』のように、誰が主人公かはっきりしている作品も多いことでしょう。しかしながら、なかにはいくらストーリーを読んで

＊1　小説家（一八九四〜一九六五）。一九二三年に『二銭銅貨』を発表し、日本における創作推理小説発展の道筋を示す。『心理試験』『屋根裏の散歩者』『人間椅子』『パノラマ島奇譚』などで本格的推理小説、怪奇幻想小説を開拓。

＊2　小説家（一九〇二〜八一）。謎解きを中核にした『本陣殺人事件』『獄門島』『犬神家の一族』『悪魔の手毬唄』など名探偵金田一耕助が活躍する一連の作品で人気を集める。

も、誰が主人公であるかが分からないような作品もあります。例えば、藤子・F・不二雄[*3]の漫画『ドラえもん』の主人公は、ドラえもんでしょうか、それとものび太でしょうか？　作品のタイトルが『ドラえもん』である以上、主人公はドラえもんであると考える人もいるでしょう。一方、物語で事件を起こすのはのび太であるという点から、のび太を主人公と考える人も少なくありません。いったい、私たちはどの登場人物が主人公なのかを、どのようにして見極めれば良いのでしょうか？　主人公であるための条件とは、どのようなものなのでしょうか？

この点について考えたのが、文学者の前田愛[*4]です。彼は、誰を主人公と見なすかについて、大きく三つの考え方があると指摘しました。[*5]

〈1〉登場人物が物語の視点人物である。
〈2〉登場人物が物語を通して人格形成を果たす。
〈3〉登場人物が境界線を越える権利を持つ。

まずは最初の「登場人物が物語の視点人物である」という点ですが、これは語り手がどの人物の視点から世界を見ているのかに注目する方法です。例えば、村田沙耶香[*6]の小説『コンビニ人間』では、ストーリーが一貫して「私」という人物の視点から描かれており、ほかの登場人物の視点から物語が語られることはありません。こうした一人称の小説の場合、主人公は語り手である「私」ということになります。

次の「登場人物が物語を通して人格形成を果たす」とは、物語の中で登場人物が精神的に成長していくケースのことを指しています。例えば、芥川龍之介の『羅生門』では、「下人」と呼ばれる人物が、物語の最後に新しい人格を身につけます。このように、下人は物語の中で大きな変化を遂げていることから、『羅生門』の主人公であると言えるでしょう。

＊3　漫画家（一九三三〜九六）。本名藤本弘。藤子不二雄名義で『少年サンデー』に連載を開始した『オバケのQ太郎』が大ヒットし、アニメ化されて、児童漫画の代名詞ともなる。以後、一貫して、子供たちの日常をモチーフとした空想的な作品を創り続け、世界的にも稀な漫画作家となる。

＊4　文学者（一九三一〜八七）。幕末から近代にかけての文学を研究。記号論などを駆使した『都市空間のなかの文学』で芸術選奨文部大臣賞受賞。テレビ、映画、写真などの評論も多い。

＊5　前田愛『文学テクスト入門』筑摩書房、一九九三年、一〇六〜一〇七頁。

＊6　小説家（一九七九〜）。『授乳』が群像新人文学賞優秀作となり作家デビュー。『しろいろの街の、その骨の体温の』で三島由紀夫賞受賞。二〇一六年には『コンビニ人間』で芥川賞を受賞した。

三番目の「登場人物が境界線を越える権利を持つ」は、記号学者ユーリー・M・ロトマン*[7]が提起した理論です。ロトマンは、物語を二つの空間に分け、その境界を越える人物が主人公であると定義しました。このロトマンの理論については、レッスン6の「空間」で詳しく扱います。

こうした三つの考え方を考慮するなら、先に挙げた『ドラえもん』の主人公はのび太であると言えるかもしれません。実際、のび太はストーリーを通して毎回何らかの教訓を学んでおり、精神的な成長を遂げています。つまり、前田愛が指摘する主人公の二番目の条件を満たしていると言えるのです。

◆フライによる主人公のシステム化

ここまで私たちは、どのようなキャラクターを主人公と見なすべきなのか、その考え方について考えてきました。ここからは、物語に登場するさまざまな主人公の型（タイプ）について見ていきましょう。

主人公のタイプについて語るうえで欠かせないのは、カナダの文学者であるノースロップ・フライ*[8]です。フライは、古代の神話から現代の小説にいたるあらゆる物語を分析し、そこからなんと、すべての主人公のタイプをパターン化するという偉業を成しとげました。いわば、文学史を貫く法則を打ち立てたと言っても良いでしょう。フライはこの法則を「モードの体系」と呼んでいます。

まずフライは、「環境に対する優劣」と「他人に対する優劣」という二つの軸をベースに、主人公を五つのタイプに分類しました。

〈1〉主人公が人間と環境のどちらにも質的に優れている。
〈2〉主人公が人間と環境に程度の差でわずかに優れている。
〈3〉主人公が人間より優れているが環境には劣っている。
〈4〉主人公が人間にも環境にも程度の差でわずかに劣っている。

＊7 ロシア生まれ、エストニアの記号学者（一九二二～九三）。『構造詩学講義』をはじめ、文学を記号学的に研究したものを中心にしつつ一九七〇年代からは文化という統一体の中で文学や映画など個々の記号体系をも研究していこうとする「文化の記号学」に比重を移した。

＊8 カナダの文学者（一九一二～九一）。ブレイク研究家として『恐るべき均衡』で一躍有名となる。また、代表作『批評の解剖』は、文学活動と批評との峻別の上に構築された壮麗にして独創的な神話批評で、現代西欧文学批評を代表する地位を確立した。(『20世紀西洋人名事典』、日外アソシエーツ)

〈5〉主人公が人間と環境のどちらにも質的に劣っている。

次に彼は、それぞれの主人公が登場する文学作品のタイプを以下のように分類しています。

〈1〉神話
〈2〉ロマンス（恋愛小説、冒険小説）
〈3〉高次模倣（悲劇、叙事詩）
〈4〉低次模倣（喜劇、リアリズム[*9]）
〈5〉アイロニー（風刺小説）

例えば、悲劇というジャンルについて考えてみましょう。フライは、悲劇の主人公は「われわれよりも遥（はる）かにまさる権威、情熱、表現力をそなえているが、彼の行為は社会の批判をうけるし、また自然の秩序に従うものである」[*10]と指摘しています。試しに、この定義をウィリアム・シェイクスピア[*11]の『ロミオとジュリエット』に登場する主人公ロミオに当てはめてみましょう。ロミオは名門モンタギュー家の跡取り息子という設定であり、庶民と比べて「遥かにまさる権威」を有していることは間違いありません。さらに、大胆にも愛するジュリエットの家に侵入したり、殺人を犯したりしているという事実から、彼が情熱を有する人間であることは明らかです。ところが、ロミオの恋は社会のしきたりという「自然の秩序」には逆らえず、結局彼は自殺してしまいます。つまり、ロミオは世間という「環境」には劣った人間だったのです。こう考えると、ロミオがいかに悲劇（高次模倣）の主人公を代表しているのかが分かります。

一方、フライによれば、リアリズム小説（低次模倣）の主人公というのは、私たち一般人と同じような立場にいる人間です。例えば、日本のリアリズム小説を代表する田山花(か)

＊9 現実の世界をあるがままに再現している文学作品。
＊10 N・フライ『批評の解剖』海老根宏ほか訳、法政大学出版局、二〇一三年、四八頁。
＊11 イギリスの劇作家（一五六四～一六一六）。俳優ののち、座付き作者として三七編の戯曲、一五四編のソネットを書き、言葉の豊かさ、性格描写の巧みさでイギリスの文学の最高峰と称された。（『デジタル大辞泉』、小学館）

袋[12]の『蒲団』には、竹中時雄という主人公が登場しています。彼は冴えない中年男性であり、生活も裕福ではありません。まさに、「人間にも環境にも程度の差でわずかに劣っている」というリアリズム小説の条件に合致するキャラクターであると言えるでしょう。

さらに、フライは主人公のタイプをパターン化しただけではなく、それぞれのタイプが順を追って文学史に登場してきたことも指摘しました。[13]最初にギリシャ神話や日本神話が古代に生まれ、次に中世において騎士物語などのロマンス小説が登場します。ルネサンス時代では前述した『ロミオとジュリエット』に代表される悲劇が人気を呼び、一八世紀以降にリアリズム文学が全盛期を迎えました。そして現代では、社会風刺に満ちた風刺小説がたくさん書かれていると彼は述べています。

それでは、文学は今後どのように発展していくのでしょうか？　これに関してフライは、風刺小説の後には再び物語（神話）の時代が来ると予言しています。

> 歴史の方向に沿って見るならば、ロマンス、高次模倣、低次模倣の諸様式は、転位された神話の系列を表わしている、と考えてよかろう。つまり物語――プロット公式――が反対側の極――もっともらしさ――に向かって動いてゆくのであり、アイロニー様式

に達すると再び回帰をはじめるのである。[*14]

フライは、アイロニーから他のタイプを通って神話へと戻るのか、それともアイロニーから直接神話へと回帰するのかについては明確に述べていません。しかしながら、現在の文学の動向を見ていると、フライの予言には説得力があるように思えます。事実、最近ではライトノベルと呼ばれるジャンルから、数多くの小説が出版されています。そうしたライトノベルの中には、主人公が異世界で訳もなく女性にモテたり、非凡な能力を持っていたりする、いわゆる「ハーレム系」[*15]「チート系」[*16]と呼ばれる作品が少なくありません。これを、「主人公が人間と環境のどちらにも質的に劣っている」アイロニーから、「主人公が

＊12 小説家（一八七一～一九三〇）。告白的な暴露小説『蒲団』を発表後、『生』『妻』『田舎教師』などを書き、島崎藤村とともに自然主義文学の代表的作家となった。
＊13 N・フライ、前掲書、四九頁。
＊14 N・フライ、前掲書、七五頁。
＊15 一人の男性キャラクターに対して数多くの女性キャラクターが恋愛対象として置かれている設定のこと。
＊16 主人公が突出しすぎた、超人的な能力をもっている設定のこと。

人間と環境のどちらにも質的に優れている」神話への回帰と捉えることも可能ではないでしょうか。

◆『ノルウェイの森』分析

こうしたフライの理論を応用した例として、文学者の助川幸逸郎（すけがわこういちろう）による『ノルウェイの森』分析が挙げられます。*[17] 小説『ノルウェイの森』は大ベストセラーとなった、村上春樹*[18]の代表作です。主人公のワタナベは、二流大学の学生という冴えない男ですが、なぜか直子、レイコ、緑といったさまざまな女性たちと物語の中で付き合うことができています。

助川は、どうしてワタナベがこんなにも女性にモテるのか、という謎に注目しました。実際、ワタナベは「おもしろい顔」をした「二流私大の文学部生」として設定されているにもかかわらず、さまざまな女性から訳もなく愛されているのはとても不可解です。この疑問に対して、助川は、ワタナベという人物をロマンス小説における英雄と見なすことで解明できると指摘しました。たしかに、『ノルウェイの森』がロマンス小説であれば、主人公であるワタナベはほかの人間よりもすぐれているということになり、女性たちから愛されるのも自然であると言えます。しかし、そうであれば作者はどうして主人公の学歴を

「一流国立大の文学部生」ではなく、「二流私大の文学部生」としているのでしょうか？

この点に関して助川は、『ノルウェイの森』がただのロマンス小説ではなく、「リアリズム小説のふりをしたロマンス小説」であることを指摘しました。前にも述べたように、リアリズム小説において、主人公は私たち庶民と同じ程度のステータスでなければなりません。こうしたリアリズムの利点として、読者が主人公に感情移入しやすいというものがあります。実際、私たちは立場の弱い登場人物に対してつい肩入れしてしまうのではないでしょうか。つまり、作者の村上春樹は、あえて主人公のワタナベを私たちと同じ程度に装うことで、読者の共感を得ようとしていたのです。もしもワタナベが金持ちのイケメンであったなら、私たちは決してワタナベに共感することはないでしょう。こうした意味で、『ノルウェイの森』は、一般読者の心に訴えるためにリアリズムを装った小説であると考えることができるのです。

＊17　助川幸逸郎『文学理論の冒険──〈いま・ここ〉への脱出』東海大学出版会、二〇〇八年、四九～七〇頁。

＊18　小説家（一九四九～）。作品は一見都会的でおしゃれであるが、言語への懐疑、都市生活の空虚さへの疑いが見え隠れし、その明るい虚無感が若者たちの共感を呼んでいる。

◆登場人物のパターン分析

物語に登場するキャラクターについては、ほかにも民俗学者のウラジーミル・プロップ[19]が興味深い研究を行っています。彼はまず、ロシアに存在するすべての昔話を分析し、主人公をその属性（キャラ）で判断することはできないと結論づけました。たしかに、主人公のキャラ設定は実にさまざまです。名前という点だけを見ても、「江戸川コナン」といった特徴的な名前を持つ場合もあれば、「山田太郎」[20]といった平凡な名前、さらには固有名詞を取り去り、ただ「男」と呼ばれている場合も少なくありません。[21]このようにプロップは、主人公の性格、外見、能力などといった属性は物語によって変わってしまうと考えました。

一方、プロップは決して変わらない部分も存在すると指摘します。それは、登場人物の**行為**です。彼によれば、いかなる昔話の登場人物の行為も、結局のところわずか三一個に分類することができるのです。[22]プロップが列挙した三一個の行為は以下のとおりです。

●準備段階

〈1〉家族のひとりが家を留守にする。

〈2〉主人公に禁を課す。
〈3〉禁が破られる。
〈4〉敵対者が探り出そうとする。
〈5〉犠牲者に関する情報が敵対者に伝わる。
〈6〉敵対者は、犠牲となる者を騙そうとする。
〈7〉犠牲者は騙され、それによって心ならずも敵対者に手を貸す。

● ストーリーの複雑化

〈8〉敵対者が家族の一人に害や損傷を加える。

＊19　ロシアの民俗学者（一八九五〜一九七〇）。『昔話の形態学』は民話の構造分析の先駆的著作として世界的な反響を呼び、民話、フォークロア、人類学、言語学、文学研究にも影響を及ぼした。
＊20　漫画『ドカベン』の主人公。
＊21　安部公房の小説『砂の女』の主人公。
＊22　ウラジーミル・プロップ『昔話の形態学』北岡誠司・福田美智代訳、水声社、一九八七年、四二〜九八頁。

〈9〉不幸もしくは欠如が知らされ、主人公に依頼あるいは命令が下された結果、彼は旅立ちを許されたり、派遣されたりする。

〈10〉探索者が対抗行動に同意する、または対抗行動に出ることを決意する。

●移動

〈11〉主人公が家を後にする。

〈12〉主人公は試練、尋問、攻撃などを受け、これによって彼が道具あるいは助手を手にいれるきっかけとなる。

〈13〉主人公が将来の贈与者の行動に反応する。

〈14〉主人公が道具を自由に使用できるようになる。

〈15〉主人公は探し物のありかへと運ばれる、送られる、あるいは誘導される。

●戦闘

〈16〉主人公と敵対者が直接戦いを交える。

〈17〉主人公に何らかのしるしがつけられる。

〈18〉敵対者が敗北する。
〈19〉発端の不幸もしくは欠如が解消される。

●帰還

〈20〉主人公が帰路につく。
〈21〉主人公が追跡を受ける。
〈22〉主人公は追跡から救われる。
〈23〉主人公は気付かれないように家や別の国に到着する。

●認知

〈24〉にせの主人公が登場して主人公の功績を自分のものだと主張する。
〈25〉主人公に難題が課せられる。
〈26〉難題が解決される。
〈27〉主人公が判明し、認められる。
〈28〉にせの主人公もしくは敵対者が判明する。

〈29〉主人公に新しい姿が与えられる。
〈30〉敵対者が罰せられる。
〈31〉主人公は結婚し、王となる。

さらにプロップは、主人公はこうした行為を必ず順番どおりに行うと述べました。つまり、〈1〉→〈10〉→〈3〉のように順番が入れかわることはなく、必ず〈1〉→〈2〉→〈3〉というように番号順で発生するのです。ただし、あらゆる物語がすべて三一個の行為を含んでいるわけではありません。プロップによれば、いくつかの行為が省略されることもありますし、「敵対者」や「道具」の形は物語によって変わってゆきます。

例えば、『桃太郎』のストーリーは、〈8〉→〈9〉→〈10〉→〈12〉→〈16〉→〈18〉→〈19〉→〈20〉→〈29〉というように、いくつかの行為を省略した物語のバージョンであると見なすことができるでしょう。こうした分類から分かるのは、プロップが登場人物のキャラクターではなく、「登場人物は何を行うのか？」という動作の部分に注目していたという点です。もちろん、プロップが分析した作品はすべて昔話ですが、彼が考案したパターンは、現代の小説にも適用できると言えるかもしれません。ロバート・スコールズが指摘しているように、プロップのパターンは「明らかに我々の誰もが昔話から小説に至るフィクションの読書の中で出会ったことのあるもの」[*23]なのです。

＊23 ロバート・スコールズ『スコールズの文学講義―テクストの構造分析にむけて』高井宏子ほか訳、岩波書店、一九九二年、九七頁。

4 視点

「物語」——私たちは普段、何気なくこの言葉を耳にしたり、口にしたりしています。あらためて、この言葉をよく注意してながめてみましょう。この言葉は、「あることがら（モノ）」を「語る」という行為を意味しています。言いかえれば、いかなる物語も、「語り手」がいなくては成立しません。文学者の廣野由美子も指摘するように、語り手はストーリーを構成するための「不可欠な条件[*1]」なのです。この章では、作家レオン・サーメリアンの『小説の技法[*2]』を参考にしながら、小説における語り手の種類、役割、そしてその意義について考えていきましょう。

◆三人称視点（全知の語り手、物語世界外的語り手）

三人称視点とは、その名のとおり、第三者の視点からストーリーを語っていくタイプのことです。一般的に、語り手は神のような視点に立ち、登場人物の外見、性格、考えなどをすべて把握しています。三人称視点の最大のメリットは、こうした語り手の完全性にあります。例えば、私たちはあらゆる登場人物の思いを読みとることができるので、謎や混乱が心の中に生まれることはほとんどありません。いわば、読者は物語を安心して読むことができるのです。このような三人称視点の利点から、現代にいたるまで、数多くの文学作品が三人称視点で書かれてきました。

一方、三人称視点には、「臨場感の欠如」という欠点も存在します。私たちは情報をすべて語り手から間接的に受けとらなければならず、物語からリアリティーを感じとりにくいかもしれません。

三人称視点の物語は、大きく四つのタイプに分けることができます。

〈1〉主観的三人称視点——語り手が物語に干渉するタイプ

＊1　廣野由美子『批評理論入門—「フランケンシュタイン」解剖講義』中央公論社、二〇〇五年、一二一頁。

＊2　レオン・サーメリアン『小説の技法—視点・物語・文体』西前孝監訳、旺史社、一九八九年。

これは、語り手が小説の世界に顔を出し、自分の意見や感想を述べるタイプです。例えば、井伏鱒二[*3]の短編小説『山椒魚』の一節を見てみましょう。主人公の山椒魚はある日、すみかにしていた岩屋の中から出られなくなっていることに気づきます。ずっと岩屋の中で寝ているうちに、体が大きくなってしまったのです。これに慌てた山椒魚は、なんとかして岩屋から脱出しようともがき、岩屋の中を狂ったように泳ぎまわります。そこに突然、語り手が登場し、私たち読者にこう呼びかけます。

諸君は、発狂した山椒魚を見たことはないであろうが、この山椒魚に幾らかその傾向がなかったとは誰がいえよう。諸君は、この山椒魚を嘲笑してはいけない。すでに彼が飽きるほど暗黒の浴槽につかりすぎて、最早がまんがならないでいるのを、諒解(りょうかい)してやらなければならない。いかなる瘋癲(ふうてん)病者も、自分の幽閉されている部屋から解放してもらいたいと絶えず願っているではないか。最も人間嫌いな囚人さえも、これと同じことを欲しているではないか。[*4]

ここでは、語り手が読者に向かって呼びかけることで、私たちの注意は主人公にではなく、語り手の方に向けられることになります。語り手の存在が強調されてしまった結果、読者は物語が作り物であることをよりいっそう意識してしまうかもしれません。

しかしながら、語り手を物語に登場させることで生まれる利点もあります。その一つとして、小説におけるアイロニー（風刺）が、語り手の存在によって効果的に表現されることが挙げられます。たとえ当の主人公が真剣に努力している場合でも、もしも語り手が冷ややかにその状況を述べるなら、ストーリーはたちまち皮肉を帯びることになるでしょう。

同じように、『山椒魚』の語り手は、一見山椒魚に同情しているようにも思えますが、山椒魚を「瘋癲病者」や「囚人」といった言葉で描写していることから、語り手こそが山椒魚を皮肉っていることが分かります。あえて語り手を登場させることで、読者が山椒魚の愚かさを笑いつつ、山椒魚に優しいまなざしを向けることを可能にしているのです。

＊3　小説家（一八九八～一九九三）。独特のユーモアと哀愁をたたえた風格のある作品を書き続けた。『ジョン万次郎漂流記』で直木賞受賞。また、戦後の庶民の日常生活の中に原爆の問題をとらえた『黒い雨』は高く評価されている。

＊4　井伏鱒二『現代の文学6井伏鱒二集』河出書房新社、一九六五年、一三九頁。

〈2〉客観的三人称視点——語り手が存在を消すタイプ

このタイプでは、語り手は反対に自らの存在を一切語りません。語り手が物語の世界に干渉することはないので、客観的な視点から物語を述べることができます。一例として、吉行淳之介[5]の小説『子供の領分』の一節を見てみましょう。『子供の領分』は、裕福な少年Aと貧しい少年Bが交流していく物語です。


女中が姿を消すと、Aはいそいで飴（あめ）を一つつまみ、口に入れた。

「あまい。君、なかなかあまいぞ」

Bも手をのばして、飴を口に入れて言った。

「うん、あまいや」

しかし、その言葉の調子には、わざとらしいところがあった。愉しい様子をすることが自分の今日の役目だ、とBは自分に言い聞かせている。そんな気配をAは感じ取り、一層焦る気持ちが濃くなった。[6]

ここで語り手は、AやBの言動を客観的に描写していると同時に、彼らの内面も映し出

していま す。一方で読者は、この文章を読んでいるとき、語り手の存在を意識することはありません。したがって、客観的な三人称視点で語ることは、前に挙げた主観的な三人称視点とは違い、ストーリーにリアリティーが生まれるというメリットがあります。

〈3〉限定的三人称視点——語り手が存在を消すタイプ

限定的三人称視点の場合、語り手はどの登場人物の内面にも入り込みません。主人公の思惑や心理を描くことなく、淡々としたタッチであくまでも外側から場面描写するだけです。代表的な例としては、アーネスト・ミラー・ヘミングウェイ[*7]の『殺し屋』が挙げられ

＊5 小説家（一九二四～九四）。『驟雨』で第三一回芥川賞受賞。同世代の作家たちとの交流が緊密になり、「第三の新人」と呼ばれる。以後『星と月は天の穴』が芸術選奨、『暗室』が谷崎潤一郎賞、『夕暮まで』が野間文芸賞を受賞。随筆に『私の文学放浪』など。

＊6 吉行淳之介『子供の領分』番町書房、一九七五年、一七二～一七三頁。

＊7 アメリカの小説家（一八九九～一九六一）。「ロストジェネレーション（失われた世代）」の代表作家で、死と隣り合わせの現実に敢然と立ち向かう人間の姿を描く。一九五四年ノーベル文学賞受賞。代表作は『日はまた昇る』『武器よさらば』『誰がために鐘は鳴る』『老人と海』など。（『デジタル大辞泉』、小学館）

ます。


「てめえ、なにを見てやがるんだ？」マックスがジョージをにらんだ。

「なんにも」

「よしやがれ。おれを見てやがったくせに」

「きっと、冗談のつもりなんだよ、マックス」アルが言う。

ジョージが声をたてて笑った。

「てめえが笑うこたあねえぜ」マックスが彼に言った。「ちょっとでも笑ったら、ただじゃおかねえ、わかったか？」

「わかりました」ジョージが言う。*8


ここでは、登場人物たちの内面の様子がすべて省かれています。「〜と彼は思った」といった表現さえも描かれないことで、場面のリアリティーがとことん追求されていると言っても良いでしょう。

こうした視点で物語を描写することには、ストーリーのテンポを速める効果もあります。

物語がすべて登場人物の言動だけで展開されるので、流れがよりスピーディーになり、場に緊迫感が生まれるのです。こうした簡潔な文体を得意とする作家はハード・ボイルド派と呼ばれ、ほかにもダシール・ハメット[*9]やレイモンド・チャンドラー[*10]などがいます。

〈4〉固定的三人称視点――語り手が主人公の視点から物語を描くケース

これは、語り手が自らの視点を一人の登場人物の視点に重ね合わせ、その人物の見ているままに出来事を語っていくタイプです。いわば、ストーリーの初めから終わりまで、語り手は視点を特定の人物に固定し、ひたすらその人物の視点から物語を語っていくと言っても良いでしょう。実際、このケースにおいて、語り手はその人物が知っていることや意

＊8　ヘミングウェイ『ヘミングウェイ短編集（上）』谷口陸男訳、岩波書店、一九八七年、一五〇頁。

＊9　アメリカの推理小説家（一八九四〜一九六一）。探偵社に勤務し、この経験に基づいて多くの推理小説を書いた。『マルタの鷹』『ガラスの鍵』『影なき男』などによって、感情を排したアメリカ独自のハード・ボイルド派を確立した。

＊10　アメリカの推理小説家（一八八八〜一九五九）。石油会社に勤め、四〇代なかばになってから創作を始めた。巧妙な会話、感傷に流されぬ文体により、ハメット以後のハード・ボイルド派の代表者とされる。

識の流れを読者に伝えますが、この人物が知り得ないことや、他の登場人物の内面についでは一切語りません。例を安部公房の『砂の女』に見てみましょう。

ついに男は、泣き出してしまった。それでもはじめは、一応自制のきいた、嗚咽(おえつ)だったのが、やがて、手離しの号泣に変り、男はその浅ましい崩壊感に、おぞけをふるいながらも、観念した。誰も見ていないのだから、仕方がない……実際こんなことが、なんの手続きもなしに行われるなんて、あまりに不公平すぎる……死刑囚だって、死ねば、あとに記録を残してもらえるのだ……いくらだって、吠え立ててやるとも……誰も見ていないのが、悪いのだ！[*11]

ここで、語り手は視点を主人公である「男」の視点に固定しています。一般的に、登場人物の視点から物語を描写する場合、「私」や「僕」といった一人称形式にするのが普通です。しかしながら、作者は一人称形式ではなく、あくまで「男」という三人称形式でストーリーを描いているのです。なぜ安部公房は、あえてこのような視点を選んだのでしょうか？

まず、視点を固定することは、ストーリーに統一感をもたらすと言えるでしょう。語り手が自分の感想を述べたり、他の登場人物の内面について描写したりせず、物語をずっと一人の視点から語っていくことによって、一貫性のある筋が生まれます。また、登場人物が知っていることしか明かされないので、読者はあたかもドラマを見ているかのような緊張感を覚えます。

一方、「登場人物と語り手との間に生まれる距離感」という効果も無視できません。元々、一人称形式の物語では、語り手＝主人公という設定上、読者は主人公の思いにすんなりと入ることができました。しかし、固定的三人称視点となると、そうはいきません。この場合、視点は主人公に固定されてはいますが、あくまでも語り手と主人公は別々の存在です。いわば、語り手はぴったりと主人公に張りつきながらも、両者の間には微妙な距離感が生まれているのです。したがって、ときには登場人物を突き放すような、冷淡で客観的なまなざしを登場人物に向けることも可能となります。

こうしたさまざまなタイプ以外に、視点を一人の登場人物に固定するのではなく、複数

＊11　安部公房『砂の女』新潮社、二〇〇三年、二三四頁。

の登場人物の視点に立ってストーリーを語っていくという三人称視点もあります。例えば、山崎豊子[*12]の長編小説『大地の子』では、語り手は主人公の陸一心、父親である松本耕次、そして一心の恋人の趙丹青など、さまざまな登場人物の視点に立ってストーリーを語っています。このように視点を変えることによって、読者は四巻にもわたるこの長い物語を単調に感じることなく、最後まで作品を楽しむことができるのです。

◆一人称視点――主人公が語っているタイプ

一人称視点とは、その名のとおり登場人物が「わたし」「ぼく」「吾輩（わがはい）」などの一人称でストーリーを語っていくタイプのことです。登場人物がそのまま語り手となるため、読者はあたかも直接呼びかけられているかのように感じられ、より一層その登場人物に感情移入することができます。

とりわけ、ストーリーを語っているのが主人公である場合、私たちは主人公が遭遇するさまざまな事件にハラハラドキドキしたり、一喜一憂したりして、物語の世界にグイグイと引き込まれます。自分自身が主人公であるかのように感じるので、読者は緊張感を失うことなく物語を最後まで読むことができるでしょう。例を、夏目漱石[*13]の小説『こころ』に見てみましょう。引用箇所は友人であるKが、「御嬢さん」という女性への密かな恋心を主人公である「私」に打ち明ける場面です。同じく密かに御嬢さんを愛していた「私」は、自分の友人が同じ女性に恋をしていることに衝撃を受けます。

彼の重々しい口から、彼の御嬢さんに対する切ない恋を打ち明けられた時の私を想像してみて下さい。私は彼の魔法棒のために一度に化石にされたようなものです。口をもぐもぐさせる働(はたらき)さえ、私にはなくなってしまったのです。

その時の私は恐ろしさの塊(かたま)りといいましょうか、または苦しさの塊りといいましょうか、何しろ一つの塊りでした。石か鉄のように頭から足の先までが急に固くなったのです。呼吸をする弾力性さえ失われたくらいに堅くなったのです。幸いな事にその状態は

＊12 小説家（一九二四～二〇一三）。『不毛地帯』『二つの祖国』『大地の子』の戦争三部作で、戦前・戦中から戦後の高度経済成長社会に変貌を遂げる日本社会の暗部を描く大作を次々完成させ、広い社会的視野に立つ作品で多くの読者を獲得した。

＊13 小説家（一八六七～一九一六）。ユーモラスなタッチで描いた『吾輩は猫である』が評判となり、人気作家となる。『三四郎』『それから』『門』などを発表し自然主義文学に対立。晩年は『こころ』『明暗』などで人間のエゴイズムを追求した。

長く続きませんでした。私は一瞬間の後に、また人間らしい気分を取り戻しました。そうして、すぐ失策ったと思いました。先を越されたなと思いました。[14]

このように、一人称を用いることで、「私」が抱く苦しみの感情は、読者の心にストレートに伝わることになります。また、主人公のナマの声を聞くことで、真剣な告白の言葉が深く刺さることでしょう。つまり、一人称視点は物語をよりドラマチックに描く力があるのです。

さらに、一人称で語ることにより、ストーリーの真実性が深まるという効果も無視できません。たとえどれほど奇妙で、現実ではあり得ないような事件が起こっても、実際に事件を体験した登場人物が語ることによって、私たちはついついそれを本当のこととして受け入れてしまいます。例えば、半村良[15]の短編小説『箪笥』は、ある古い民家に住んでいる老婆が無気味でミステリアスな物語を淡々と語るという内容です。

よう寝られんのやったら、御坊さまみたいしには行かんけど、何や変った話でもしょうかいね。と言うたかて、おら見たいしな老婆には、随分昔の話しかよう出来んのやけど、これはまあ、変った話いうたら変っとるのやわいね。[16]

激しい恐怖をともなう経験は、それを実際に体験した人間が語ることで、より真に迫るストーリーへと発展します。『箪笥』の作者は、語り手が自分の目で目撃した事件を語るというスタイルを取ることで、読者の興味をわしづかみにしようとする工夫を加えていると言って良いでしょう。サーメリアンが述べるように、まさに「手に負えない非行少年が自分について語る方が、社会学者がその少年について語るよりも、より興味深いものになる」[17]のです。

一方で、一人称視点の欠点として、主人公自身の輪郭がぼやけてしまうことは避けられ

＊14 夏目漱石『こころ』岩波書店、一九八九年、二二七頁。

＊15 小説家（一九三三～二〇〇二）。『雨やどり』で直木賞を受賞、流行作家としての地位を築いた。一九七九年には『戦国自衛隊』が映画化されて話題となり、一九八八年に『岬一郎の抵抗』で日本SF大賞を受賞。完結までに一八年かけた『妖星伝』（全七巻）は伝奇SFの傑作とされた。

＊16 半村良『能登怪異譚』集英社、一九九三年、七頁。

＊17 サーメリアン、前掲書、一一九頁。

ません。例えば、『こころ』に登場する「私」の外見は、読者が知ることができない情報です。一人称視点の主人公は、外界の状況、登場人物の容姿、自分の感情については積極的に語りますが、自らの外見について語ることはほとんどありません。したがって、物語の中で、主人公はいつまでも正体のはっきりしない人物となってしまいます。もちろん、あえて主人公の輪郭をぼかし、主人公を神秘的な存在に仕立て上げることで、逆に読者の興味を惹きつける効果をねらうこともできるでしょう。

◆一人称視点——脇役が語っているタイプ

脇役の視点からストーリーを語る場合、先に挙げた一人称視点の弱点は解消されます。また、脇役は主人公を客観的に描写することができ、しかも一人称視点であることに変わりはないので、一人称の特徴である緊張感や真実性、感情移入といった要素も残すことができるのです。

こうした点から、脇役による一人称の語りは、主にミステリー小説で多く用いられています。最も有名なのは作家アーサー・コナン・ドイル[*18]による『シャーロック・ホームズシリーズ』でしょう。探偵ホームズの友人であるワトスンの視点から物語が述べられることで、読者は事件の謎をゆっくりと推理していく醍醐味を味わうことができます。これがもしホームズの視点から描かれた場合、私たちはホームズの頭の中をのぞくことができるので、すぐに犯人の目星がついてしまい、サスペンスやスリルを味わうことができません。あくまでも脇役の視点から語られることにより、私たちは緊張感を保ったまま、クライマックスまで読んでいくことができるのです。

もちろん、ミステリー小説以外にも脇役の視点を用いているケースもたくさんあります。その場合、物語の中心人物は主人公の内面を知ることができないので、中心人物をどこかミステリアスな存在として描写することが可能です。例えば、『こころ』における「先生と私」というパートは、青年である「私」の視点から「先生」という人物について語られています。その結果、「先生」は次のような謎めいた人物として描かれていることに注目できるでしょう。

＊18 イギリスの小説家（一八五九～一九三〇）。医師としてロンドンで開業するが成功せず、作家に専念。一八九二年以降、『シャーロック・ホームズの冒険』などホームズものの短編を次々と発表し、推理小説のジャンルを確立する。また冒険小説や歴史小説、科学小説なども数多く発表している。

「新婚の夫婦のようだね」と先生がいった。

「仲が好さそうですね」と私が答えた。

先生は苦笑さえしなかった。二人の男女を視線の外に置くような方角へ足を向けた。

それから私にこう聞いた。

「君は恋をした事がありますか」

私はないと答えた。

「恋をしたくはありませんか」

私は答えなかった。

「したくない事はないでしょう」

「ええ」

「君は今あの男と女を見て、冷評しましたね。あの冷評のうちには君が恋を求めながら相手を得られないという不快の声が交っていましょう」

「そんな風に聞こえましたか」

「聞こえました。恋の満足を味わっている人はもっと暖かい声を出すものです。しかし……しかし君、恋は罪悪ですよ。解っていますか」

　私は急に驚かされた。何とも返事をしなかった。[*19]

「恋は罪悪」と述べる先生の過去には、いったい何があったのでしょうか？　読者は「先生」の内面に入っていけないために、いっそう「先生」の言葉に興味を惹かれ、自然と物語の世界へと誘(いざな)われていきます。脇役の視点から語ることには、こうした効果もあるのです。

◆多元的一人称視点——複数の人物が語るタイプ

　最後に、一人称視点の文学作品の中には、ある事件や主人公の言動について、複数の登場人物がそれぞれ語る形式があります。代表的な例は芥川龍之介の短編小説『藪の中』です。この小説は、平安時代に起こった強盗事件について、盗人の多襄丸(たじょうまる)、武士の武弘(たけひろ)、そしてその妻の真砂(まさご)という三人の登場人物が語っていくという構成をとっています。しかしながら、三人の証言がどれも食い違っているために、読者は困惑し、いつまでも事件の真

＊19　夏目、前掲書、三五頁。

相にたどり着くことはできません。まさに、「犯人が誰かという考えに読者の意識を向けさせながら、犯人を分からなくさせる」ということを意図した、作者の創意工夫であると言えるでしょう。

このように、多元的一人称視点は、物語に矛盾を作り出し、作品にさまざまな解釈を生む手法としてきわめて有用です。犯人が誰であるかが結末において明らかになっている場合、読者の側に作品を解釈する余地は残されていません。『藪の中』も、仮に犯人が特定される形で描かれていたなら、ただの推理小説の一つと見なされ、文学の歴史に名を残さなかったことでしょう。しかしながら、『藪の中』は謎をあえて開かれたままにしておき、決して解消させないことによって、いわば読者との対話を永遠に可能としていることが分かります。これこそが、『藪の中』が一〇〇年にわたって読者に読まれている理由の一つであると言えるのです。

5 時間

「文学は時間芸術」[*1]と言われているように、文学と時間の間には切っても切れない関係があります。そもそも、物語を知るためには、文字を一つひとつ、上から下へ、もしくは右から左へと時間をかけて読んでいかなければなりません。物語の中における時間の流れも、作品を構成するうえできわめて重要な要素となっています。現代では数多くの作家がこの事実に注目し、時間の流れにさまざまな工夫をこらすことによって、物語をよりいっそうおもしろく、独創的なものとするよう試みてきました。この章では、文学作品の中で時間がどのように扱われているのか、そのメカニズムについてくわしく分析してみましょう。

＊1　石原千秋ほか『読むための理論―文学・思想・批評』世織書房、一九九一年、一二頁。

順序のずれ

時間とは何か。これは一個の謎(なぞ)である――実体がなく、しかも全能である。現象世界の一条件であり、ひとつの運動であって、空間内の物体の存在とその運動に結びつけられ、混ざり合わされている。しかし運動がなければ、時間はないであろうか。時間がなければ、運動はないのであろうか。さあ尋ねられるがいい。時間は空間の機能のひとつであろうか。それとも逆であろうか。あるいは、ふたつは同じものだろうか。さあ問いつづけたまえ。*2

かつて、ドイツの文学者トーマス・マン*3は小説『魔の山』の中でこのように述べて、時間という存在がいかに謎めいたものであるか、そしてその一方で時間がいかに多くの人を惹きつけるものであるのかについて指摘しました。文学という領域においても、時間の謎は今なお数多くの人々を魅了し続けています。

物語の時間という魅力にとりつかれた文学者の一人に、フランスを代表する文学理論家ジェラール・ジュネット*4がいます。彼が今日高い評価を受けているのは、文学作品における時間の流れを分析し、これを一つのシステムとして分かりやすくまとめたことにあります。

まず彼が行ったのは、「物語内容の時間」と「物語言説の時間」の区別でした。物語内容の時間とは、物語の世界で起こった出来事を、その順番通りに並べたものです。

むかし話である『桃太郎』のストーリーは、

〈A〉桃から桃太郎が生まれる→〈B〉桃太郎がイヌ、サル、キジを家来にする→〈C〉鬼ケ島へ行く

というように、〈A〉→〈B〉→〈C〉の順番で事件が発生しています。このように、「物

＊2　トーマス・マン『魔の山（下）』高橋義孝訳、新潮社、一九六九年、七頁。

＊3　ドイツの作家（一八七五〜一九五五）。『ブッデンブローク家の人々』で注目を集め、その後は『トニオ・クレーゲル』『ヴェニスに死す』『魔の山』など話題作を次々と発表。一九二九年にノーベル文学賞受賞。

＊4　フランスの批評家（一九三〇〜二〇一八）。「語り」の概念を導入することによって語り手の問題も射程に入れた「物語の《新たな修辞学》」を提唱した。著書に『物語のディスクール』など。

語」の「内容」が起こった順序を、「物語内容の時間」といいます。

しかしながら、物語は必ずしも順番通りに語られるわけではありません。例えば、「鬼ヶ島に到着した桃太郎が、今まで歩んできた人生をふり返る」という設定であれば、作者は出来事の順番を変えて、〈C〉→〈A〉→〈B〉という順で物語を語っているということになります。このように、作者が物語を語る順番を、ジュネットは「物語言説の時間」と呼びました。

さらに彼のすごいところは、こうした順番の入れ替わりが、さまざまな効果をもたらす重要な「しかけ」になっているということに気づいたことにあります。例えば、夏目漱石の『こころ』では、前半部分で主人公の「私」と「先生」との交流が描かれており、後半部分で先生が過去に犯した過ちが暴かれています。もし、時系列に沿って物語を語るのであれば、

先生が過去に犯したあやまち→「私」と先生の交流

という順番になるはずでしょう。ところが、作者はあえて前半部分に「私」を登場させ、

後半部分でようやく先生の過去の真相を明かしているのです。こうした工夫によって、物語にどのような効果が生まれているのでしょうか？

読み手は先生の過去を知らないので、先生の存在がいつまでも大きな謎として映ります。あたかもミステリー小説のように、物語にサスペンスが生まれるのです。その結果、読み手は主人公と同じ気持ちになって、物語を先へ先へと読み進めたい衝動に駆られることになります。このように、起こった出来事の順番を入れ替えること、すなわち「物語言説の時間」に工夫を加えることは、場面に「緊張感」をもたらし、読者を物語の世界に引き込むうえできわめて重要な役割を果たしているのです。

ジュネットは、物語におけるこうした順序のずれを二つのタイプに分けました。一つ目は「後説法（こうせつ）」、もしくは「フラッシュバック」と呼ばれるもので、これは物語を語っている途中で、過去の事件を挿入していく手法です。前述した『こころ』では、後半部分で物語の語りが先生の過去へとタイムスリップしており、まさに「後説法」の一種であると言えるでしょう。

もう一つの手法は、「先説法（せんせつ）」もしくは「フラッシュ・フォワード」と呼ばれています。これは、「メアリーはそれに気づかなかったようだったが、次の日にはそのことについて数時間考えることになるのだ」[*5]という文章のように、まだ起きていない未来の出来事を暗示するもので、いわゆる伏線と同じ意味合いを持っています。例えば、チャールズ・ディケンズ[*6]の小説『二都物語』では、物語の最初に酒樽からワインがこぼれるシーンが次のように描かれています。

大きな酒樽が道路に落ちて、こわれた。椿事は、樽を車から下ろしていたときに起ったのだった。樽はコロコロところがって、たがはじけ、酒店のすぐ店先の石畳に止まって、そのまま胡桃の殻のように、木っ端みじんにこわれてしまった。
近くに居合わせた人たちは、さっそく仕事の手をおき、無為の閑居を打切って、駆け寄って来るなり、こぼれた酒を飲みはじめた。四方八方に伸びて、まるで通りかかる生き物たちを、すべてことごとくびっこにしてしまうために、わざとそんなふうに設計したのではないかとさえ思えるようなひどいでこぼこ道の石畳は、たちまち無数の小さな酒だまりをつくった。そしてそれら酒だまりは、それぞれ大きさに応じて、大小さまざまの弥次馬たちを、その周囲に集めた。[*7]

街路に流れるワインは、のちにこの場所から始まる革命の流血を暗示するものとなっており、先説法の代表的な例となっています。このように、作家は「過去を描き出す後説法と、いずれ結果がどうなるかを暗示する先説法を用いることで、読者の興味を引き、物語の基本的な推進力を生み出す[*8]」ことができるのです[*9]。

持続のずれ

次にジュネットが注目したのが、物語における「持続」、すなわち物語の「スピード」で

＊5　ジェラルド・プリンス『物語論辞典』遠藤健一訳、松柏社、一九九一年、一五五頁。

＊6　イギリスの小説家（一八一二〜七〇）。豊かな才筆から自在に生れるユーモアとペーソス、弱者へのあたたかい同情を含んだ庶民性など、その独特の作風によって、イギリスの代表的な小説家と認められる。著書に『オリバー・ツイスト』『クリスマス・キャロル』『二都物語』など。

＊7　チャールズ・ディケンズ『二都物語（上）』中野好夫訳、新潮社、一九九一年、五一頁。

＊8　ピーター・バリー『文学理論講義―新しいスタンダード』高橋和久監訳、ミネルヴァ書房、二〇一四年、二七九頁。

＊9　ほかにも、ある出来事における時間の位置がどこか断定できないケース（空時法）や、さまざまな出来事が時間に関係なくランダムに述べられているケース（共時法）も存在します。

す。作家はたった一分間の出来事を何十頁にもわたって書きつらねたかと思えば、逆に一〇〇年という時間を「それから一〇〇年経った」とわずか一文で述べたりすることもできます。ジュネットは、こうした物語のスピードの違いを四つのタイプに分類しました。

〈1〉休止法
〈2〉情景法
〈3〉要約法
〈4〉省略法

まず、休止法とはどのような語りでしょうか？　例えば、次の一節を読んでみましょう。

肴屋(さかなや)、酒屋、雑貨店、その向うに寺の門やら裏店(うらだな)の長屋やらが連(つらな)って、久堅町(ひさかたちょう)の低い地には数多(あまた)の工場の煙突(えんとつ)が黒い煙を漲(みなぎ)らしていた。
その数多い工場の一つ、西洋風の二階の一室、それが渠(かれ)の毎日正午(ひる)から通う処(ところ)で、十畳敷ほどの広さの室(へや)の中央(まんなか)には、大きい一脚の卓(テーブル)が据えてあって、傍(かたわら)に高い西洋風の本箱、この中には総て種々の地理書が一杯入れられてある。渠はある書籍会社の嘱託を受けて地理書の編輯の手伝に従っているのである。[*10]

ここでは、語り手が主人公の職場の様子を説明している間、物語の時間がまったく進んでいないことが分かります。このように休止法とは、物語の時間を「休止」する、つまりストップしながら内容を述べていく手法のことを指しています。

次の情景法は、物語のスピードが、私たちが読む速さと同じスピードになっていることを指しています。

「あの男がどうかしたのかい?」と彼女が訊いた。
「別に」とペドロ・ビカリオは答えた。「ただおれたちは、あいつを捜し出して始末しようとしてるだけさ」
その返事があまりに自然だったので、彼女は自分の耳を疑った。しかし彼女は、双子

＊10 田山花袋『蒲団・一兵卒』岩波書店、二〇〇二年、八頁。

が屠殺用のナイフを二本、ぼろにくるんで持っているのに目を留めた。
「で、こんな朝っぱらにあの男を殺すつもりだって言うけど、どうしてなのさ？」と彼女は訊いてみた。*11

このシーンでは、物語が展開されるスピードが、私たちが文を読むスピードとだいたい同じ速さになっていることが分かります。例えば、「ただおれたちは、あいつを捜し出して始末しようとしてるだけさ」というセリフについて考えてみてください。登場人物がこのセリフをしゃべっている時間と、私たちがこのセリフを読んでいるのにかかった時間は、ほぼ等しいと言えるでしょう。このように、物語の時間が私たちの読む時間と同じ速さで進んでいくことを情景法と呼びます。

それでは、要約法ではどのように物語が描かれるのでしょうか？

夏休みははじめの一週間で宿題をぜんぶ終わらせてしまうとなにもすることがなくなって、毎日のほとんどを部屋で本を読んですごした。どこにもでかけなかった。食事の時間になると母さんが僕を呼び、いつもとおなじようにふたりで食事をした。

父さんはほとんど帰って来なかった。たまに帰ってきても、またすぐにでていった。[*12]

この一節では、主人公が過ごした夏休みという期間が、わずか数行でまとめられていることが分かります。要約法ではこのように、物語の時間が文字通り「要約」されて、すなわち圧縮されて語られることになるのです。

最後の省略法とは、その名の通り物語の時間を「省略」し、ある一定の時間をとばして語る手法です。例えば、

それから渡良瀬(わたらせ)まみずは、十四日生きた。[*13]

という文章では、物語における「現在」の地点から、ヒロインである渡良瀬まみずが亡

＊11　G・ガルシア＝マルケス『予告された殺人の記録』野谷文昭訳、新潮社、一九九七年、六六頁。
＊12　川上未映子『ヘヴン』講談社、二〇一二年、九二頁。
＊13　佐野徹夜『君は月夜に光り輝く』KADOKAWA、二〇一七年、二八四頁。

図1：ジュネットによる時間のカテゴリー

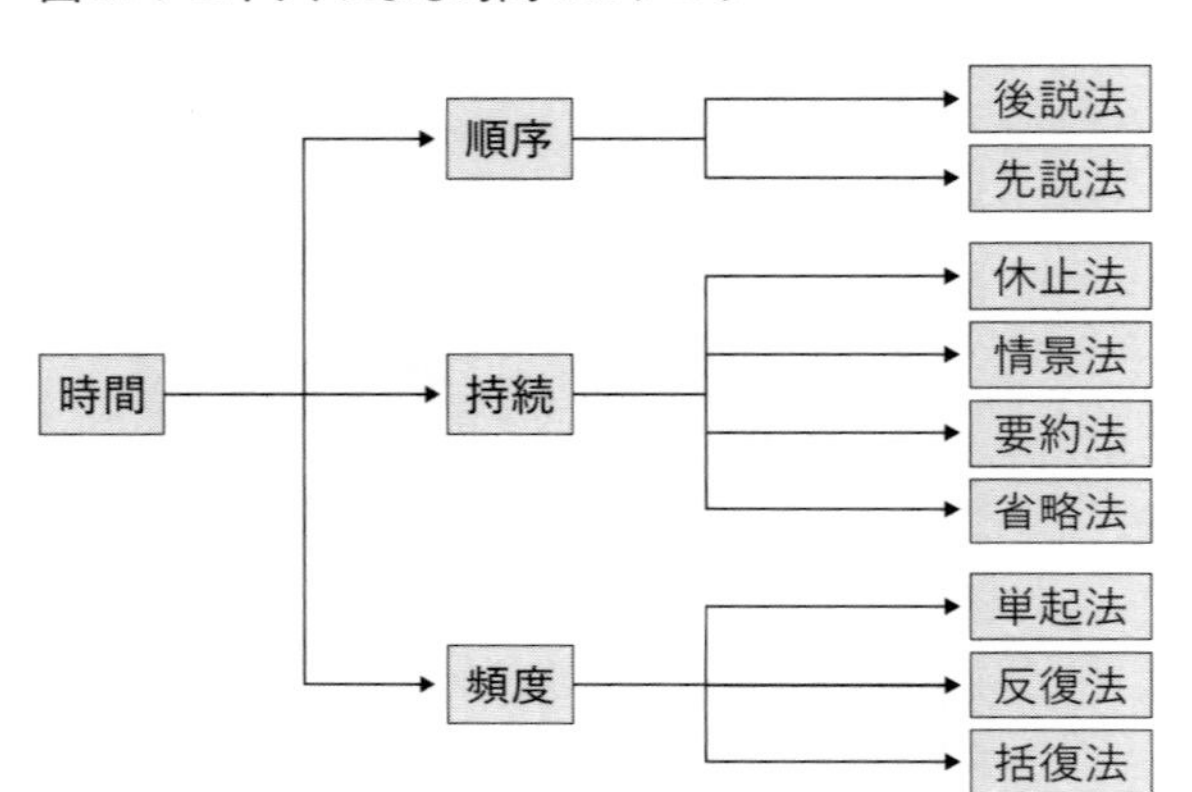

くなるまでの十四日間に起こったことがすべて省略されています。このように、文学作品では物語の時間がいろいろな速さで流れていることをジュネットは分析したのです。

◆頻度のずれ

さらにジュネットは、物語における頻度の問題にも注目しました。頻度とは、物語の中で起こった出来事が、語り手によって何回語られているのかという点です。例えば、一度起こった出来事を一度だけ語ることをジュネットは「単起（たんき）法」と呼びました。一般的な文学作品は、たいてい一度述べたことを繰り返すことはほとんどないので、単起法を用いていると言えるでしょう。

しかしながら、ごくわずかではありますが、一度起こった出来事を何回も語るケースも存在します。芥川龍之介の『藪の中』では、作中で起こった殺人事件について、三人の関係者の視点から何度も語られています。このように、同じ出来事を複数回語る形式のことをジュネットは「反復法」と呼びました。

また、作中で何回も起こった出来事をただ一度だけ語る場合もあります。これをジュネットは「括復法（かっふく）」と呼びました。例えば、「私はよく釣りに行った」という文は、「釣りに行く」という行為が何度もあったこと、そしてそれを一言で表現していることから、この括復法に当てはまる文章であると言えます。*14

◆文学作品における時間のテーマ

もちろん、文学と時間の関係を理解するためには、文学作品において時間がどう流れているのかを分析するだけでは不十分です。実際、言語学者の橋本陽介はこの点に関して次のように述べています。

*14　このほかにも、「擬似括復法」という、一見括復法に思える表現であっても、描写がとても細かいなどの理由で一概に括復法だとは見なすことができない形式もあります。

物語の内容と形式は例えるならば料理の素材と調理法である。いくらおいしい素材（内容）があったとしても調理法（形式）がなっていなければおいしい料理にできないかもしれない。調理法を知っていれば、ひどい食材でもそれなりの料理に仕立てられるだろう。もちろん、おいしい素材をいい調理法で料理するのがもっともいい。どちらも重要なのである。*15

私たちは、作品の形式のみに注目するのではなく、作品の内容にも焦点を当てなければなりません。ここでは、すぐれた文学作品が、時間という存在をどのように描写しているのかという点について考えてみましょう。

◆『ペスト』――〈いま・ここ〉の戦い

アルベール・カミュの小説『ペスト』は、伝染病で封鎖された街「オラン」を舞台にした物語です。二〇二〇年に新型コロナウイルス感染症の流行が問題となった際にも、感染が広がる現代の状況と重ね合わせられて、大きな反響を呼びました。

文学者の安藤智子は、この物語が人間と時間との関係性を描いたものであると指摘しました。[16]

物語の前半で描かれているのは、「微睡(まどろ)むように生きるオランの市民[17]」の姿です。オランに住む人たちは、毎日労働と睡眠というきまりきった生活をおくっているために、「時間が現在から未来へ切れ目なくつづく[18]」と信じて疑いません。彼らにとって「未来」とは、必ず訪れる日常のようなものであり、それに向けて人々は予定を立てたり計画を練ったりしています。これは、現代に生きる私たちと似たような生き方であると言えるかもしれません。

ところが、このような平凡な街にある日、「ペスト」という伝染病が発生し、町全体が封鎖されてしまいます。この突然の変化は、それまで彼らが信じてきた時間の概念を根本からくつがえすものとなりました。実際、彼らは否応なく家族や友人から隔離され、仕事を

＊15　橋本陽介『物語論　基礎と応用』講談社、二〇一七年、四一頁
＊16　安藤智子「カミュ『転落』における時間」『Stella（25号）』九州大学フランス語フランス文学研究会、二〇〇六年、九九～一一三頁
＊17　同上、一〇一頁。
＊18　同上、同頁。

失い、いわば「未来」を奪われた人間へと転落してしまいます。「未来とは予測できない不透明な時間であり、現在の延長ではない」[*19]という事実を彼らは身をもって痛感することになったのです。

そうした、極度のストレスと不安に押しつぶされ、「未来」を失った人々は、今度は「過去」へと逃れようとします。過去の甘い記憶に浸ることで、今の苦痛をまぎらわそうと試みるのです。しかしながら、それはただのまやかしであり、自分自身を欺（あざむ）いているにすぎません。やがて、過去の記憶を追い求めることも、結局は失望に終わってしまうことを彼らは意識するようになるのです。

こうして、「人びとは未来や過去が現在とは本質的に異なる時間であることを知り、自分たちには現在しか残されていないことに」[*20]気づくことになりました。彼らの目には、「現在」という時間があたかも牢獄のように映ります。

みずからの現在に焦燥し、過去に恨みをいだき、しかも未来を奪い去られた、そういうわれわれの姿は、人類の正義あるいは憎しみによって鉄格子（てつごうし）のなかに暮させられている人々によく似ていた。[*21]

しかし、こうした絶望的な状況を経験した人々は、「現在」こそがたった一つの現実であることを最後に自覚し、勇敢にも「ペスト」に対抗しようと決意するようになります。自分たちには「現在」という時間しか与えられていないことを受け入れ、すべてを「いま、ここ」という瞬間に賭けて行動するようになったのです。例えば、それまでオランから脱出したいと願っていたランベールという新聞記者は、ペストに立ち向かおうという決意を次のように表明しています。

僕はこれまでずっと、自分はこの街には無縁の人間だ、自分には、あなた方は何のかかわりもないと、そう思っていました。ところが、現に見た通りのものを見てしまった今では、もうたしかにこの町の人間です、自分でそれを望もうと望むまいと。この事件は我々みんなに関係のあることなんです。[*22]

＊19 同上、一〇二頁。
＊20 同上、同頁。
＊21 アルベール・カミュ『ペスト』宮崎嶺雄訳、新潮社、一九六九年、一〇五頁。
＊22 同上、三〇七頁。

『ペスト』という物語において、「現在」は「その現実性と可能性によって」特権的な地位を得ていることが分かります。カミュが描こうとしたのは、「今という瞬間のかけがえのない豊かさ[*23]」だったのです。

＊23 安藤、前掲書、一〇三頁。

6 空間

海外旅行のガイドブックを読むことは、実際に海外旅行に行くのとは、また違う楽しみがあります。「イスタンブール」「ウィーン」「エルサレム」など、そこに書かれたさまざまな都市の名前には、私たちの空想をそそりたてる、魅力的な響きがこもっていることが少なくありません。

同じように、私たちは小説を読んでいくうちに、いつしか物語のふしぎな「空間」に包み込まれていきます。作品に登場するいろいろな地名をヒントに、情緒あふれる豊かな空間を想像していくと言っても良いでしょう。そして、作者が描くさまざまな場所や地名は同時に、作品に込められたメッセージを解き明かすヒントにもなり得ます。いわば、作品内の空間構造を分析することで、私たちは隠された真相を見いだすことができるのです。

この章では、文学作品の空間構造に注目し、物語における空間の配置がどのような効果を生んでいるのかについて見ていきましょう。

◆ロトマンの空間分析

文学における空間分析に熱心に取り組んだのが、記号学者のユーリー M・ロトマンです。彼は、文学における最も基本的な空間構造を、主人公が属している内側の空間と、それに対立する外側の空間という二つのカテゴリーに分けられると指摘しました（図1）。例えば、RPG（ロールプレイングゲーム）のシナリオはその典型的なケースでしょう。

図1：物語の基本的な空間構造

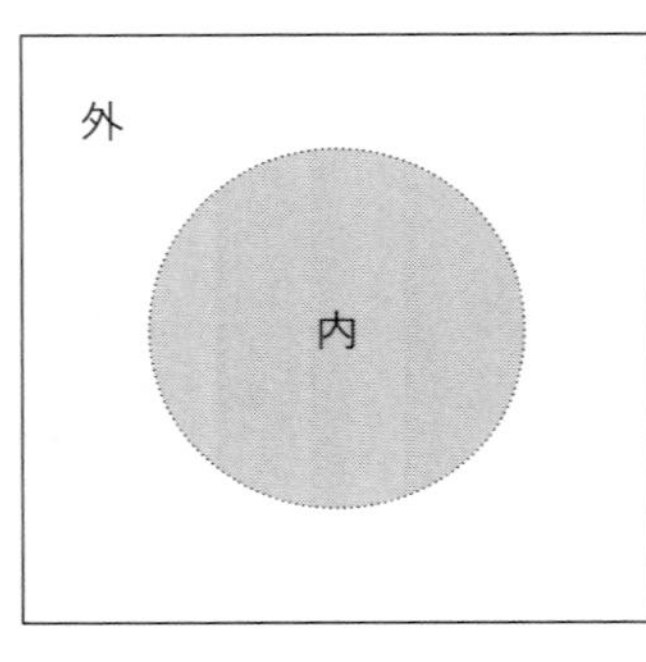

一般的に、RPGの主人公は最初、「村」という空間に住んでいますが、王様の命令で怪物をたおす旅に出ていかなければなりません。怪物たちが住んでいる世界は、村の外側にある空間であり、内側の空間とはまったく異なる世界です。

ロトマンは、主人公が二つの空間の境界線を越えたときに事件が発生すると考え、次のように述べました。

題材の動き、事件とは、無題材的構造が確立するあの禁止的境界線の横断のことである。主人公にあてがわれた空間内での移動は事件ではない。テキストにおいて採用された空間構造に、あるいはその分類的部分に事件という概念が依存していることは、これで明らかである。[*1]

一例として、『ロミオとジュリエット』では、モンタギュー家の跡取り息子であるロミオが、対立するキャピュレット家のパーティーという別の空間に忍び込んだことにより、事件が発生します。また、芥川龍之介の『羅生門』では、主人公の下人が「羅生門」という、本来ならば訪れることのなかった未知の空間に足を踏み入れたことによって物語がスタートしています。このように考えると、ほとんどの文学作品は主人公の空間移動によってストーリーが始まっていると言えるでしょう。

ちなみに、内側の空間と外側の空間は、それぞれ「価値観がまったく異なる世界」であ

＊1　ユーリー M・ロトマン『文学理論と構造主義―テキストへの記号論的アプローチ』勁草書房、一九七八年、二五四頁。

ることにも注意してください。ロミオが元々いたモンタギュー家という空間では、彼は名家の御曹司としてもてはやされていましたが、キャピュレット家のパーティーでは仇敵と見なされています。また、「羅生門」という空間にいる老婆の価値観は、下人がそれまで抱いていた価値観とまったく対立するものとなっています。このように、価値観が異なる空間へと主人公が移動することによって、事件が発生しているのです。

◆高橋亨の空間分析

こうした「空間移動」という概念を応用することで、物語のタイプを見いだそうとしたのが文学者の高橋亨（とおる）です。彼は、物語を「浦島太郎型」と「かぐや姫型（羽衣型）」という二つのタイプに分類しました。[*2] これはどのような構造なのでしょうか？

むかし話の『浦島太郎』において、主人公の浦島太郎は亀を救ったことにより、現実世界から竜宮城という異世界へと旅立ちます。彼はしばらくそこに滞在しますが、最後には元の現実世界へと帰っていきます。

このように、主人公が、

図2：浦島太郎型

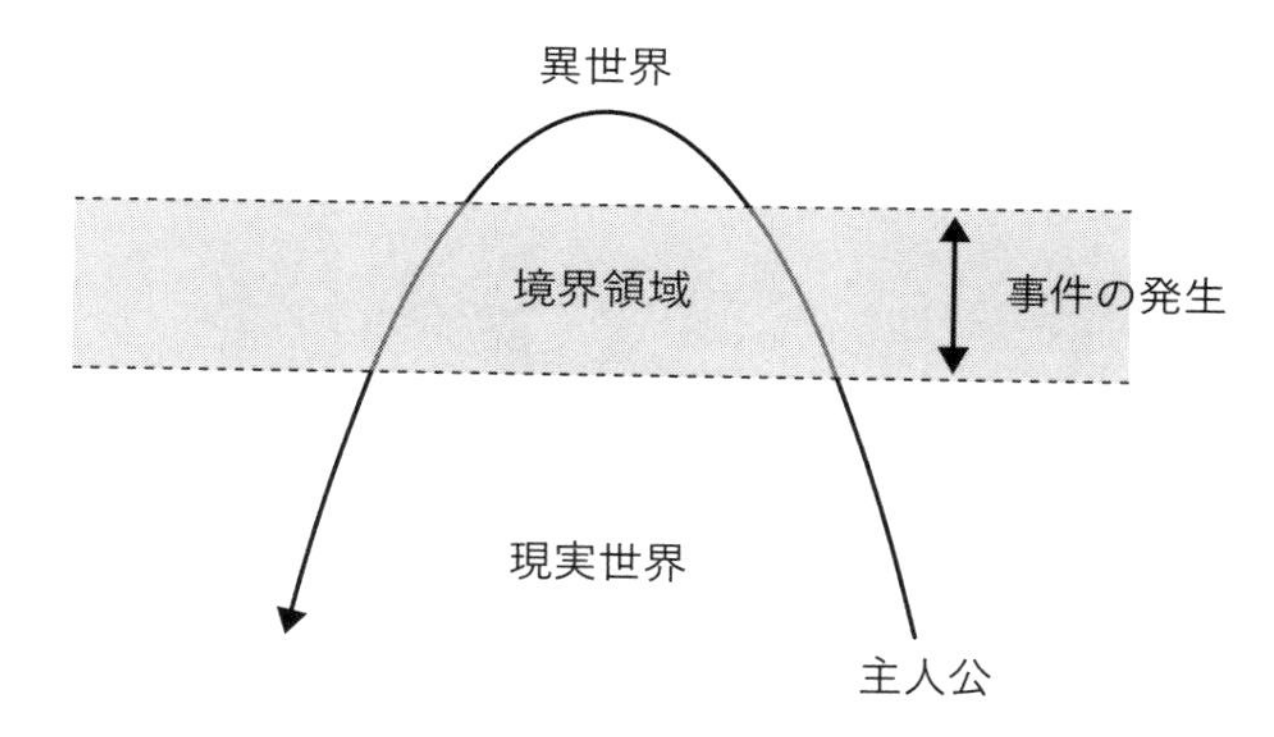

内（現実世界）→外（異世界）→内（現実世界）

という空間移動を行う物語のタイプを、高橋は「浦島太郎型」と名付けました。このような場合、事件は現実世界（村）と異世界（竜宮城）のはざまにある境界領域（浜辺）で発生していることが分かります（図2）。宮沢賢治[*3]の『銀河鉄道の夜』や芥川龍之介の『河童（かっぱ）』のように、「浦島太郎型」の作品は近代文学においても枚挙にいとまがありません。

一方『竹取物語』のヒロインであるかぐや姫は、浦

*2 高橋亨「前期物語の話型」『日本文学（35巻）』日本文学協会、二七頁。

*3 詩人、童話文学者（一八九六〜一九三三）。貧困にあえぐ農民に稲作指導をしつつ天衣無縫の詩才を育てたが病弱のため夭折。代表作に童話『銀河鉄道の夜』や詩『雨ニモマケズ』など。

図3：かぐや姫型

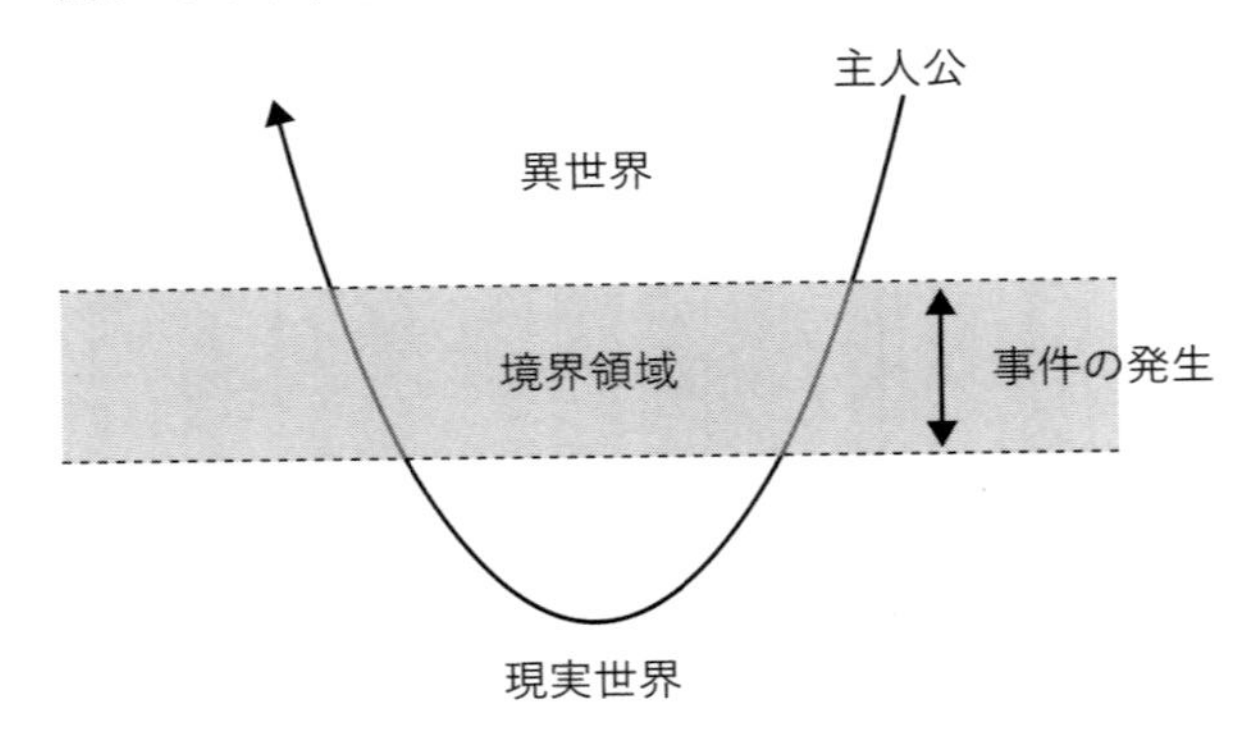

島太郎とは正反対の空間移動を行います。彼女は月という異世界から、地球という現実世界へと降りてくるのです。彼女は貴族たちの求愛を受けますが、最後にはふたたび月へと戻ってしまいます。

このように、主人公が、

外（異世界）→内（現実世界）→外（異世界）

という越境を果たす物語のタイプを、高橋は「かぐや姫型」と呼びました（図3）。「かぐや姫型」の文学作品も、現代において数多く存在します。もし「死」という存在を外側の世界と見なすのであれば、村上春樹の『ノルウェイの森』や、片山恭一[*4]の『世界の中心で、愛をさけぶ』、そして住野よる[*5]の『君の膵臓をたべたい』といった作品も「かぐや姫型」に分類することができるかもしれません。

主人公が空間移動する方法は実にさまざまです。宇宙船や潜水艦に乗って異世界へ行く場合もあれば、歩いているうちに奇妙な世界へ迷い込んでしまう場合もあるでしょう。言いかえるなら、空間移動の方法は、作家ごとにその持ち味があらわれやすい箇所なのです。例として、村上春樹の作品における空間移動の特徴について考えてみましょう。浜田真理は、村上作品の特徴として、主人公がエレベーターや階段を使った上下運動によって異界へ入っていく傾向があると指摘しました。[*6] 例えば、『ダンス・ダンス・ダンス』の主人公である「僕」は、札幌のドルフィン・ホテルの一六階とハワイの古いオフィス・ビルの八階で二度異世界に迷い込み、そのどちらの場合もエレベーターを使っています（図4）。作家がどのように主人公の空間移動を表現しているのかという点に注目することで、私たちは作家のスタイルを発見することが可能となるのです。

＊4　小説家（一九五九～）。九州大学大学院に在学中、『気配』で文學界新人賞を受賞しデビュー。代表作の『世界の中心で、愛をさけぶ』はベストセラーとなった。

＊5　小説家（生没年未詳）。デビュー作『君の膵臓をたべたい』は映画化され、日本アカデミー賞優秀作品賞を獲得した。ほかに『青くて痛くて脆い』など。

＊6　浜田真理「村上春樹の小説にあらわされた空間について（2）──『ダンス・ダンス・ダンス』からの考察──」『図学研究（40巻）』二〇〇六年、一二六頁。

図4：現実界と異界をつなぐ空間の構造（＊6同論文より引用。125頁）

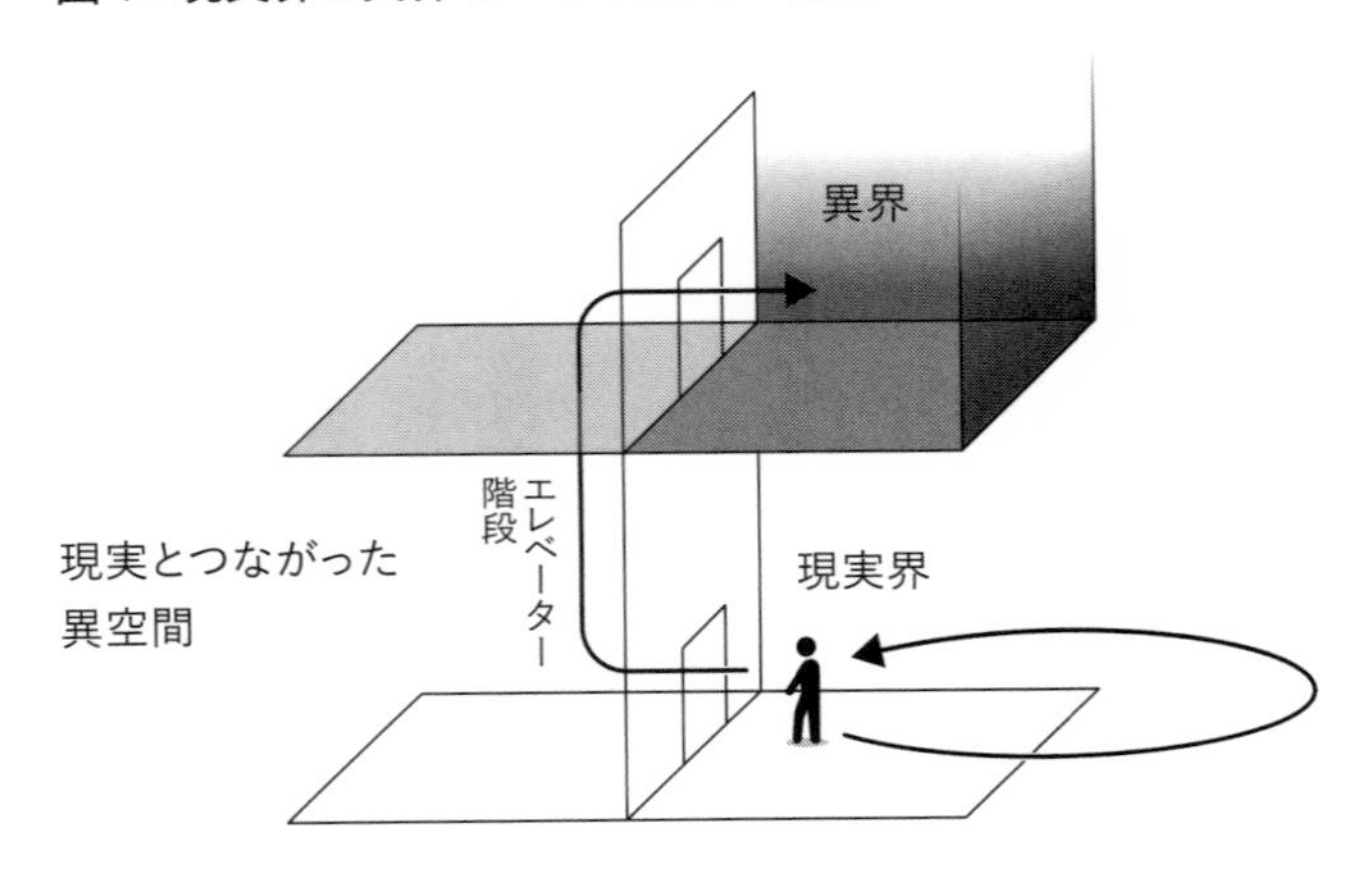

◆二階の秘密

ロトマンによれば、物語の主人公は内なる世界から外の世界へと越境を果たします。この「内／外」の構図は、どの空間においても適用することができます。例えば、私たちが住んでいる「家」という空間にも、この「内／外」の二分法を持ち込むことができるかもしれません。文学者の前田愛は、家の二階という空間の特殊性に注目し、次のように述べています。

人目につかない場所にかくされた階段で階下と結びつけられている二階の部屋は、どことなく隠し部屋のおもむきを持つことになる。渡り廊下で連結される離れ家が平屋のうえにかさ上げされたと考えてもいい。〈内〉のなかにあるもうひとつの〈内〉なのである。[*7]

実のところ、二階の住人の特徴は、『ドラえもん』に登場するのび太のように、家族と食事をともにするために一階に降りていく一方、用事が終わったら二階という孤独な空間へとふたたび階段をのぼっていくところにあります。言いかえれば、二階の住人は毎日、「パブリックな空間」と「プライベートな空間」を行き来しているのです。前田によれば、「二階の部屋には階下の家人(かじん)の手がとどかないところでさまざまな秘密がたくわえられて行き、やがてそれが明るみに引き出されたときには、階下の世界の日常的な秩序をいっきょにおびやかす」[*8]ことになります。のび太は二階というプライベートな空間にいるからこそ、親に内緒でドラえもんの「ひみつ道具」を楽しめると言えるでしょう。しかしながら、いったんそうしたひみつ道具が外に持ち出されると、人々の日常はひっくり返され、大騒動が巻き起こることになるのです。

＊7　前田愛『都市空間のなかの文学』筑摩書房、一九九二年、三〇七頁。
＊8　同上、三一〇頁。

同じような構造は、田山花袋の小説『蒲団』にもあらわれています。中年のさえない作家である竹中時雄は、ひょんなことから芳子という美しい女性を自分の弟子として二階に住まわせることにしました。その結果、竹中は妻子がいるにもかかわらず、芳子に激しい欲望を抱くことになります。この物語のテーマとなっているのは、「常識的な家庭人」という仮面の下に隠されている主人公のエゴイズムです。ここで、彼の秘密が「二階」という芳子の居場所とも密接に関わっていることに注目しましょう。前にも述べたように、二階という空間は、家庭におけるプライベートな空間を表していましたが、『蒲団』においてそれは同時に、主人公がひた隠しにする「精神の恥部につながる暗喩[*9]」ともなっているのです。

◆空間から浮かび上がる人間関係

作品における空間構造を知ることは、物語の裏に隠された真実を読み解くヒントになることもあります。一見すると、何ら変哲のない普通の空間に思えても、そこに重大な事実が隠されていることも少なくないのです。

夏目漱石の『こころ』について考察してみましょう。物語の後半で描かれているのは、語り手である「先生」とその友人「K」、そして「お嬢さん」の三角関係です。そもそもこの恋愛事件の発端は、先生がKを自分の下宿先であるお嬢さんの家に住まわせたことにありました。Kと先生がどちらもお嬢さんのことを好きになってしまい、Kがそのことを先生に告白したことで、事態は最悪の展開を迎えます。先生はKに内緒でお嬢さんを奪ってしまい、それを知ったKは遺書を残して自殺してしまうのです。

ここで、読者の心には一つの疑問が浮かびます。なぜKは自分の恋心をわざわざ先生に告白したのでしょうか？　普通ならば、お嬢さんに直接告白するべきはずなのに、Kはあえて先に先生に自分の思いを打ち明けています。「Kにとって先生は親友だったので、まず先生に相談した」という理由も考えられますが、先生によれば、Kは以前から先生を軽蔑していました。軽蔑する相手に対して、果たして人は秘密を打ち明けるでしょうか？そう考えると、この理由にも納得がいきません。

この謎に注目したのが、文学者の松澤和宏です。松澤は、先生とKが下宿していた家の

＊9　同上、三〇九頁。

空間構造に注目しました。[*10] そもそも、この家にはじめに住んでいたのは先生です。先生は一階の奥にある、「八畳の部屋」を自分の住まいとしていました。やがて、先生はKに自分と同じ部屋に住むよう誘います。しかしKはそれを拒否し、その隣にある「四畳のせまい部屋」を選んだのです。

松澤は、「八畳の部屋と四畳の部屋」という空間の違いが、先生とKの間における上下関係を表していると指摘しました。上下関係とはどういう意味でしょうか？ 当時、先生は両親の莫大な遺産を相続し、「金に不自由のない」状況にありました。一生働かなくても生活に困らないぐらいの財産があったのです。

一方、Kは父から親子の縁を切られ、大学の学費も自分で払わなければならず、深刻な貧困に苦しんでいました。実際、先生がKを自分の下宿先に呼んだのも、Kの食費を自分が肩代わりすることで、Kの経済的な負担を減らすことにあったと先生自身が述べています。言いかえれば、「四畳の部屋」という空間は、Kが当時置かれていた、貧しくて肩身のせまい状況を象徴するものだったのです。

その反対に、八畳の部屋という空間は、先生がこの家の主人(あるじ)であり、Kを養う側の人間であることを示す場所であったと言えるでしょう。つまり、一見平等な関係に思える両者の間には、「養う人間」と「養われる人間」という、明確な上下関係が存在していたのです。

こう考えれば、Kがなぜ先生にお嬢さんへの恋心を打ち明けたのか、その謎も解くことができます。経済的に窮地に立たされていたKにとって、東京の一軒家に住むお嬢さんとの結婚は、現在の境遇から脱出できる、まさに一発逆転の好機でした。[*11] お嬢さんとの結婚を果たすことができれば、Kは先生の援助を受けずに独り立ちできるはずだったのです。

しかし、そのためには、最初にこの家の主人である先生の同意が得られなければなりません。つまり、先生に恋心を打ち明けた背景には、「四畳の部屋」という空間が表す、Kの苦しい立場が関係していたのです。

このように、物語の空間構造に着目することによって、私たちは作品に込められた謎をひも解くことができます。読者は物語の空間に入っていくことで、作品からさまざまな新しい発見をすることができるのです。

＊10 松澤和宏「沈黙するK―『こゝろ』の生成論的読解の試み―」『夏目漱石「こころ」作品論集』（クレス出版、二〇〇一年）所収。
＊11 同上、二五八頁。

7 異化

「文学」というカテゴリーはとてもあいまいな存在です。この本の読者の中には、ライトノベルや『ONE PIECE』などのグラフィックノベルも文学として考えている人もいることでしょう。一方で、ライトノベルはおろか、大衆文学と呼ばれる娯楽重視の作品ですら文学と見なさない読者もいるかもしれません。それでは果たして、どのような作品が文学と呼ばれるにふさわしいのでしょうか？

この点について考えたのが、ロシアの言語学者ヴィクトル・シクロフスキー[*1]です。シクロフスキーは、ある作品が「文学」と呼ばれるかどうかは、その作品が「芸術的」であるかどうかという点にかかっていると考えました。つまり、「芸術的」な作品こそが文学であるというのです。

しかしながら、そもそも作品が「芸術的」であるかどうかを、私たちはどのように判断すれば良いのでしょうか？　彼は、すぐれた芸術と見なされる文学作品には、必ず「異化」というメカニズムがひそんでいると指摘しています。この章では、この「異化」というユニークな仕組みとその重要性について考えていきましょう。

◆「自動化」VS「異化」

まずシクロフスキーは、日常生活における私たちの行動が「自動化」されていることを強調します。自動化とは、同じ動作を何度も繰り返す結果、それがまったく意識されなくなってしまう現象のことです。

例えば、「歩く」という動作について考えてみてください。普段、私たちは歩いていることをまったく意識していません。スマホをいじりながら歩いたり、何か考えごとをしながら歩いたりするので、もしかしたら自分が今歩いていることすら忘れていることもあるでしょう。

＊1　ロシアの言語学者（一八九三～一九八四）。芸術的知覚のメカニズムを掘り下げ、異化の概念を用いて詩的言語の本質を規定しようとした。主著に『散文の理論』など。

また、私たちは歩くときに目にする、さまざまな景色も自動化しています。まだ一度も歩いたことのない道を歩くとき、周りにある建物や自然をきっと意識することでしょう。ところが、毎日同じ道を歩くようになると、やがて周りの景色に慣れ、注意を向けなくなっていきます。このように、私たちは人生のほとんどを「自動化」、つまりオートマティックに過ごしているのです。

この「自動化」というのは、とても恐ろしいはたらきです。というのも、もしも生活のあらゆる出来事が意識されなくなってしまったら、私たちはそれらを思い出すことは決してありません。本来、私たちの日常は、いつもと変わらないように見えて、実はとてもかけがえのないものです。それにもかかわず、「自動化」という現象は、そうした貴重な人生の一コマ一コマを、あたかも存在しなかったかのようにしてしまうのです。

シクロフスキーもこうした点を踏まえて、一八七九年に書かれたトルストイの日記を引用しつつ、「自動化」という現象をきわめて危険なものであるとして、次のように指摘しています。

「もし多くの人々の複雑な生全体が無意識的に過ごされていくのなら、そのような生活は存在しないも同然なのだ」［中略］このようにして、生は無に帰しつつ、消えていくのである。自動化の作用が事物を、衣服を、家具を、妻を、そして戦争の恐怖を呑み込んでいってしまうのだ。[*2]

彼はこのように述べて、「自動化」というメカニズムが戦争の恐怖でさえも消し去ってしまうと強く警告しました。これは、現代の私たちにとっても重要な警告です。私たちは、過去一〇〇年間に多くの人々が戦争の犠牲になったことを知っています。また、近年では北朝鮮が核実験を行うなど、核兵器の脅威も無視できません。

しかし、私たちは自分たちの生活を「自動化」してしまっているため、そうした戦争の恐怖を意識することは、普段ほとんどないのではないでしょうか。「核状況にあえて意識

＊2　桑野隆・大石雅彦編『ロシア・アヴァンギャルド6　フォルマリズム──詩的言語論』国書刊行会、一九八八年、二五頁。

を向けぬ者には、全世界を覆う核兵器の厖大な量も無きにひとしい」[*3]と大江健三郎[*4]が述べているように、私たちはそうした脅威をあたかも存在していないかのように振る舞っています。いわば、世界を認識する感覚がマヒしてしまっているのです。

したがって、私たちがもう一度自分たちの感覚を取り戻し、世界を知覚するためには、この「自動化」という作業をあえて停止しなければなりません。そのためにシクロフスキーが提起したのが、「異化」というプロセスなのです。そして彼は、芸術作品の中にこそ、この「異化」を引き起こす要素があると考え、次のように指摘しました。

> 知ることとしてではなしに見ることとして事物に感覚を与えることが芸術の目的であり、日常的に見慣れた事物を奇異なものとして表現する《非日常化》の方法が芸術の方法であり、そして知覚過程が芸術そのものの目的であるからには、その過程をできるかぎり長びかせねばならぬがゆえに、知覚の困難さと、時間的な長さとを増大する難解な形式の方法が芸術の方法であり、芸術は事物の行動を体験する仕方であって、芸術のなかにつくりだされたものが重要なのではないということになるのである。[*5]

ここで述べられているように、「異化」とは「認識の過程を長引かせるためのテクニック」にほかなりません。この点について大江健三郎は、新聞記者と作家の違いを例に挙げて具体的に説明しています。新聞記者は普通、読者にとって読みやすい文章を書くよう心がけ、難解な文章を書くことはありません。例えば、絶滅の危機に瀕しているガラパゴス島のゾウガメについてのニュース記事を書くとしましょう。新聞記者は、ゾウガメの個体数やその暮らしぶりを正確に記録し、なるべく分かりやすい言葉で読者に事実を伝えようとするはずです。記者にとっては情報伝達が一番重要であり、言葉はあくまでもそのための道具でしかありません。

ところが、作家の場合、これとはまったく逆の現象が起こると大江は言います。

ひとりの作家がガラパゴス島を訪れるとしよう。かれはゾウガメをいかに独自なもの

＊3　大江健三郎『新しい文学のために』岩波書店、一九八八年、三一頁。
＊4　小説家（一九三五〜）。『奇妙な仕事』、『死者の奢り』など、観念と抒情の融合した作風の新鮮さが注目された。『飼育』で芥川賞を受賞。一九九四年にノーベル文学賞を受賞。
＊5　ヴィクトル・シクロフスキー『散文の理論』水野忠夫訳、せりか書房、一九七一年、一五〜一六頁。

として読み手の心にきざむか、いかにゾウガメの描写がものの実在感を発揮しうるかに、表現の苦心をかたむけるだろう。文章に眼を走らせていた読み手が、つい立ちどまるように、文章の一節に釘づけになる。そしてあらためて、今度はゆっくりした注意深い仕方で活字をたどりはじめる。そうした効果を期待しつつ、作家は文章を書くのである。*6

彼が指摘しているように、作家はあえて文章に技巧を凝らすことにより、読者を立ちどまらせ、彼らの意識を一つひとつの言葉に集中させます。新聞の記事は、コーヒーを片手に斜め読みできますが、文学作品となるとそうはいきません。読者は時間をかけて、注意深く活字を読んでいかなければならないのです。その結果、読み手の認識はゆっくりとした、深いものへと変化し、読者の心の中にゾウガメの危機的状況が強く刻み込まれることになります。

シクロフスキーは、この「異化」という効果が作品に表れているかどうかが、芸術と非芸術の線引きだと考えました。例えば、先に挙げた「歩く」という「自動化」された動作は、ダンスという芸術活動によって「異化」されることになります。シクロフスキーによれば、ダンスを鑑賞することは、私たちが普段無視していた「歩行」の動きに自分たちの意識を向けさせ、失われていた感覚をもう一度よみがえらせる効果があるのです。[*7]

大江健三郎も、シクロフスキーが提唱した「異化」を、文学作品と非文学作品の線引きに用いることができると述べました。彼によれば、「異化」とは、「印刷された数行を読んで、または自分や若い友人が書いた原稿の一節を読みなおして、それが文学表現の言葉でありえているかどうかを、はっきり見わけさせてくれる」[*8]サインであり、日常の言葉と文学的な言葉を見分けるための一つの重要な要素となるのです。

その一例として、夏目漱石の小説『明暗』を見てみましょう。

馬車はやがて黒い大きな岩のようなものに突き当ろうとして、その裾(すそ)をぐるりと廻り込んだ。見ると反対の側にも同じ岩の破片とも云うべきものが不行儀に路傍(みちばた)を塞(ふさ)いでいた。台上(だいうえ)から飛び下りた御者(ぎょしゃ)はすぐ馬の口を取った。

＊6　大江、前掲書、三三頁。
＊7　シクロフスキー、前掲書、三九頁。
＊8　大江、前掲書、二八頁。

> 一方には空を凌ぐほどの高い樹が聳えていた。星月夜の光に映る物凄い影から判断すると古松らしいその木と、突然一方に聞こえ出した奔湍の音とが、久しく都会の中を出なかった津田の心に不時の一転化を与えた。彼は忘れた記憶を思い出した時のような気分になった。
> 「ああ世の中には、こんなものが存在していたのだっけ、どうして今までそれを忘れていたのだろう。[*9]」

ここでは、岩や樹や急流の流れる音が「異化」されることによって、こうした自然の美しさが読者の心に深く刻み付けられていると大江健三郎は指摘しました。[*10]私たちは普段、ここに描かれているような自然を意識することはないかもしれません。しかしながら、『明暗』のようなすぐれた文学作品を読むことで、今まで気づかなかった自然の美に注意が向けられ、それまで見えてこなかった新しい世界を発見することができるのです。

◆「異化」のメカニズム

ここまで、芸術や文学の世界において「異化」という作用がいかに重要であるかを見てきました。しかしながら、「異化」という現象は、具体的にどのような手法で生まれるのでしょうか？　言いかえれば、「異化」を引き起こす仕組みとは、いったいどのようなものなのでしょうか？

この点を考えるうえでヒントとなるのが、「連語関係」という概念です。連語関係とは、私たちが習慣的に用いている、言葉のセット（組み合わせ）のことを指します。[*11] 例えば、次の三つのフレーズを見てください。

コップ1杯の◯◯／骨の折れる◯◯／どしゃ降りの◯◯

もしもこれらの空欄部分を埋めるとしたら、どのような言葉を連想するでしょうか？おそらく、「水」、「仕事」、「雨」などといった言葉が思いうかぶことでしょう。このよう

＊9　夏目漱石『漱石全集第7巻』岩波書店、一九六六年、一八六頁。
＊10　大江、前掲書、四七頁。
＊11　ピーター・バリー『文学理論講義―新しいスタンダード』高橋和久監訳、ミネルヴァ書房、二〇一四年、二五八頁。

に、言葉というのは、ある程度決まったモノどうしで結びつく性質を持っています。私たちはそうした言葉どうしの関係をいつも予想しながら生活しているのです。例えば、誰かから「とてもお似合いの……」と言われたなら、後に続く言葉を「服装」や「カップル」などであると予測できるでしょう。もちろん、「救命胴衣」という言葉も可能性としては決してゼロではありませんが、現実的に考えてほぼないと言えます。このように、言葉の結びつきというのは、コミュニケーションの場において非常に強い影響力を及ぼしているのです。

しかしながら、「異化」が用いられる場合、これとはまったく逆の現象が起こります。「異化」は、それまで慣習的に結びついていた言葉の連なりを分断し、今まで想像もできなかった言葉どうしを結合させ、まったく新しい意味を生みだすことができるのです。その代表的なものが「詩」です。批評家のピーター・バリーは、「詩の一般的特徴は習慣的な連語パターンを乱すことである」[*12]と述べて、詩における「異化」の役割を指摘しています。その一例を工藤直子[*13]の詩『ライオン』に見てみましょう。

雲を見ながらライオンが

女房にいった
そろそろ　めしにしようか
ライオンと女房は
連れだってでかけ
しみじみと縞馬を喰べた[*14]

この詩のポイントは、なんといっても最後のフレーズでしょう。普通、「しみじみと」と「縞馬を喰べた」という二つの言葉は一つの文として結合することはありません。むしろ、「がつがつと」、「ぺろりと」、「むしゃむしゃと」などの方が、「縞馬を喰べた」を形容する言葉として、より自然であると思うのではないでしょうか。

しかし、詩人はあえてこうしたありきたりな言葉を避け、「しみじみと縞馬を喰べた」と

＊12　同上、二五九頁。
＊13　詩人（一九三五〜）。コピーライターとして活躍後、詩作の道に入る。『てつがくのライオン』で日本児童文学者協会新人賞、『ともだちは海のにおい』でサンケイ児童出版文化賞を受賞。
＊14　工藤直子『てつがくのライオン』理論社、一九八二年。

表現しました。その結果、それまで私たちが考えもしていなかった、斬新で独特なイメージが詩の中に生まれることになるのです。実のところ、この詩における「異化」について、文学者の足立悦男は次のようにコメントしています。

ライオンがシマウマを「喰べ」る様子を、私たちはふつう、「しみじみと」とは言わない。「心に深くしみとおるさま」ではないからである。「がつがつと」という表現が一般的であろう。「残酷な」というイメージがあるからだと思われる。そのような慣用の感覚が、この詩の終行の「しみじみと」の声喩によって、大きく突きくずされる。と同時に、仲のよいライオン夫婦なら、「しみじみと縞馬を喰べ」るだろうな、という納得が、その同じ声喩によってなされていく。ライオンに対する「新しい見方」の獲得である。*15

彼が「『新しい見方』の獲得」と述べているとおり、この詩がもたらす「異化」は、私たちにライオンに対するまったく新しい認識を与えてくれます。私たちにとって、ライオンはどう猛（もう）で恐ろしい動物というイメージしかないかもしれません。しかしそれは、「しみじみと縞馬を喰べた」という言葉の「異化」によって覆されることになります。言いかえれば、詩の言葉によって、生きることの深い味わいがライオンの生活にもあることを実感させられるのです。

このように、「異化」という手法は、世界に対する私たちの認識を一変させる効果があります。文学作品を読む際は、ぜひこうした「言葉の化学反応」を楽しみつつ、自分の人生をより豊かなものにしてみましょう。

＊15　足立悦男「異化の詩教育学—実践個体史研究」『島根大学教育学部紀要　教育科学（33）』島根大学教育学部、一九九九年、一六頁。

8　イメージ

私たちは普段、「イメージ」という言葉を何気なしに使っています。「なんだか自分が思ったイメージと違う」「これは町のイメージアップにつながる」「あなたが描く、当社のイメージを教えてください」など、イメージという言葉の使われ方は実にさまざまです。しかしながら、イメージという言葉について、私たちは本当に理解しているのでしょうか？　実のところ、私たちはイメージという言葉を、あまりよく分からないまま使っている場合が少なくありません。この章では、イメージとはいったいどのようなものなのか、またイメージは文学においてどのような役割を果たしているのか、といった点について考えてみましょう。

◆イメージとは何か

一般的にイメージとは、「目の前にない対象を具体的に思い描いた像」のことを指します。簡単に言えば、外からの刺激がなくても思い出すことのできる感覚のことです。例えば、「大学のイメージ」と言った場合、自分が通っている大学や、テレビやネットで見た大学の風景をすぐに思いうかべることができます。このとき、外部からの刺激は必要ではありません。私たちは自分の記憶を思い起こしているので、何かを見たり、読んだりしなくても大学のイメージを作り上げることができます。

一方で、文学におけるイメージの意味合いは少し異なります。私たちがあるテクストを読み、そこに描かれている大学の風景をイメージする場合、それは「読む行為を通して読み手が頭の中に思い浮かべる像[*1]」であると言えます。つまり、私たちは「言葉」という外部からの刺激によって大学をイメージしているのであって、過去の記憶を思い出しているわけではありません。それはあたかも、本を読む過程において、書かれた言葉に誘われ、それに反応しながら豊かな映像を作り出していくという、作品と読者の連携プレーのような

＊1　梅澤実「国語教育の〈読み〉における〈イメージ〉の考察：大河原忠蔵『状況認識の文学教育』における〈イメージ〉の捉えを中心に」『川口短期大学紀要（22巻）』、二〇〇八年、三頁。

ものなのです。

芥川龍之介の短編『羅生門』におけるイメージについて考えてみましょう。『羅生門』の主人公である下人はある日、主人から解雇され、路頭に迷うことになりました。飢え死にするか、盗人になるか、という二者択一の選択に悩んでいるときに、羅生門の楼上で、ある老婆に出会います。老婆はなんと、死んだ人間の髪の毛を抜いて商売に使おうとしていたのです。こうした老婆の行為に、下人は最初憎悪の念を抱きますが、「生きるためには悪を行うことも必要である」という老婆の話を聞き、彼の心には盗人になるという勇気が生まれ始めます。

ここではまず、冒頭に書かれている次の二つの文を見てみましょう。

> 広い門の下には、この男のほかに誰もいない。ただ、所々丹塗(にぬり)の剥(は)げた、大きな円柱(まるばしら)に、蟋蟀(こおろぎ)が一匹とまっている。*2
>
> 下人は七段ある石段の一番上の段に、洗いざらした紺(こん)の襖(あお)の尻を据(す)えて、右の頬に出来た、大きな面皰(にきび)を気にしながら、ぼんやり、雨のふるのを眺めていた。*3

最初の一節は、情景のイメージです。「丹塗の剥げた」というフレーズからは、さびれた風景がイメージできるかもしれません。また、主人公を除いて誰もおらず、コオロギが円柱を占領している様子からも、そこがすっかり荒れ果てた場所であることがイメージできるでしょう。

さらに、二番目の文からは、登場人物のイメージを考えることができます。「右の頬に出来た、大きなにきび」という言葉からは、主人公である下人がまだ若いこと、そして「洗いざらした」という言葉から、彼が新しい服を買う余裕がないほど落ちぶれていることがイメージできるでしょう。

一方、この一節からは、主人公が抱いている心情のイメージも考えることができるかもしれません。「にきびを気にしながら」という言葉からは、主人公が自分の外見を気にしている様子が想像できます。つまり『羅生門』の主人公は、自分が他人にどう見られるかを意識している、いわゆる自己意識が強い人間であるとも推測することができるのです。

＊2　芥川龍之介『現代日本の文学11』学研、一九八四年、五四頁。
＊3　同上、五五頁。

◆イメージの活用

しかしながら、こうした個々のイメージを心に描くだけでは、作品全体の意味を把握することはできません。例えば、「大きなにきび」という言葉から、私たちは自意識過剰な青年の姿をイメージすることはできますが、この「大きなにきび」というイメージが、作品全体においてどのような意味を持っているのかはまだ見えてきません。国語学者の深川明子が述べているように、「読みによって形成されたイメージは［中略］登場人物の行動や心情を具象的に現わしてはいるが、その行為や感情がどんな意味を持っているのか、については何も語っていない[*4]」のです。

それでは、どうすれば個々のイメージから作品の意味をつかみだすことができるのでしょうか？　これに関して深川は、さまざまなイメージを「積み重ねる」作業が不可欠であると論じています。一例をふたたび『羅生門』の一節から見てみましょう。老婆が下人に、「生きのびるためには悪を犯さなければならない」と話した直後のシーンです。

下人は、太刀を鞘におさめて、その太刀の柄を左の手でおさえながら、冷然として、この話を聞いていた。勿論、右の手では、赤く頬に膿を持った大きな面皰を気にしながら、聞いているのである。しかし、これを聞いている中に、下人の心には、ある勇気が生まれて来た。それは、さっき門の下で、この男には欠けていた勇気である。そうして、またさっきこの門の上へ上って、この老婆を捕えた時の勇気とは、全然、反対な方向に動こうとする勇気である。下人は、饑死（うえじに）をするか盗人になるかに、迷わなかったばかりではない。その時のこの男の心もちから云えば、饑死などと云う事は、ほとんど、考える事さえ出来ないほど、意識の外に追い出されていた。

「きっと、そうか。」

老婆の話がおわると、下人は嘲（あざけ）るような声で念を押した。そうして、一足前へ出ると、不意に右の手を面皰から離して、老婆の襟上（えりがみ）をつかみながら、噛みつくようにこう云った。

「では、己（おれ）が引剥（ひはぎ）をしようと恨むまいな。己もそうしなければ、饑死をする体なのだ。」

下人は、すばやく、老婆の着物を剥ぎとった。[*5]

＊4　深川明子「文学教材・イメージ化の内容と段階――発問考察の基本的観点――」『国語科教育（34巻）』、一九八六年、二八頁。

＊5　芥川、前掲書、五八頁。

（傍点筆者　以下同）

ここで、「にきびのイメージ」が二回登場していることに注目してください。一回目では、下人はまだにきびの存在を気にしながら、右手でそれをさわっていました。これは下人が、未だ強い自意識にとりつかれている証拠であると言えるでしょう。しかしながら、次の場面では、下人は手をにきびから離しているのです。この二つのイメージを比較することによって、私たちはどのような発見ができるのでしょうか？

それまで下人は、強い自意識にとりつかれていたために、悪を行うことをためらっていました。それは、彼がしきりににきびを気にしている様子からも推測することができます。しかしながら下人は、老婆の言葉を聞いているうちに、そうした自意識を捨て去る決意をします。自分が他人からどう見られているのかを気にすることを止め、結果的に老婆の衣服を奪うという悪を堂々と行うことができたのです。そう考えれば、「『にきび』がここで再度その意味を問うて凄味を帯びてくる[*6]」と言われているのにもうなずけます。つまり、『羅生門』が伝えているのは、主人公の精神的成長にほかなりません。このように、私たちはイメージを一つひとつ積み重ねる作業を通して、作品のテーマを見いだすことができるのです。

◆文学的イメージの力

イメージが持つ効力はほかにもあります。それは、「自己を問い直すイメージ体験」です。前述した深川によれば、読者は作品を通して、まったく新しいイメージを体験することができます。その結果、それまで持っていた自分の価値観を大きく変化させることになります。[*7] イメージはいわば、現実の自分を見つめ直し、新しい世界観を獲得するきっかけとなるのです。

具体的な例として、安部公房の小説『砂の女』における、砂のイメージについて考えてみましょう。主人公である教師仁木は、毎日繰り返される単純で無意味な生活のサイクルに嫌気がさし、砂の性質に魅力を感じるようになります。

＊6　鈴木泰恵ほか編『〈国語教育〉とテクスト論』ひつじ書房、二〇〇九年、一七六頁。
＊7　深川、前掲書、三〇頁。

　砂の不毛は、ふつう考えられているように、単なる乾燥のせいなどではなく、その絶えざる流動によって、いかなる生物をも、一切うけつけようとしない点にあるらしいのだ。年中しがみついていることばかりを強調しつづける、この現実のうっとうしさとくらべて、なんという違いだろう。[*8]

　ここでは、主人公が当初思い描いていた砂のイメージが描写されています。主人公にとって、砂は絶えず流れ続ける存在でした。そうした砂の性質は、単調な生活をおくっていた主人公の目に、とても魅力的に映ったのです。これは、私たち読者も共感できる、一般的な砂のイメージではないでしょうか。実際、「砂」や「砂漠」と聞いて私たちが思いうかべるのは、乾いたり荒れ果てていたりするイメージです。『砂の器』という松本清張[*9]の小説も、一瞬で崩れてしまう砂のイメージをタイトルで強調したものであると言えるでしょう。

　しかしながら、このような砂に対する読者のイメージは、物語を読んでいくうちに少しずつ変化していきます。物語の中で、主人公は代わり映えしない生活を嫌い、昆虫採集のためにある村に向かいました。ところが、彼は労働力を必要とする村人たちによって砂の穴に閉じ込められてしまいます。彼は穴からの脱出を試みますが、それまで彼にとって砕けやすいイメージであった砂は、今や厚い壁となって主人公の前に立ちはだかります。砂の壁と格闘していくうちに、彼の頭にあった砂のイメージは、徐々に崩れていくことになるのです。

しばらくのあいだは、砂掘りに熱中する。砂はいかにも従順で、仕事もはかどりそうだった。砂にくいこむスコップの音と、自分の息づかいだけが、時を刻むすべてだった。ところがやがて、腕の疲労が、なにやら警告めいた呟きをはじめるのだ。もう、かなり掘ったつもりだのに、一向に成果があがった様子もない。くずれてくるのは、いつも掘った真上の、ほんのわずかな部分だけだ。頭の中にえがいていた、あの単純な幾何学的

＊8　安部公房『砂の女』新潮社、二〇〇三年、一七頁。
＊9　小説家（一九〇九〜九二）。『或る「小倉日記」伝』が芥川賞を受賞し文壇デビュー。『張込み』『顔』など推理小説に手を染め、『点と線』『眼の壁』の成功によって社会派推理小説ブームの推進者となった。

プロセスとは、何処かがひどく食い違っている。*10

ここで主人公は、砂の中にそれまで考えもしなかった一面を発見し、衝撃を受けます。砂には、彼が忌み嫌っていた「固定性」や「定着性」といった、従来のイメージとは正反対のイメージが隠されていたのです。このイメージの逆転は、主人公にとって大きなショックでした。そもそも彼は、労働と睡眠の繰り返しという、ワンパターンな生活に幻滅し、「流動性」のイメージを持つ砂にあこがれを抱いていたと言えます。しかし、ここで明らかになったのは、砂にも固定性があるという事実でした。つまり、主人公が望んでいた、砂のように絶えず変化し続けるライフスタイルは、ただの幻想にすぎなかったのです。

こうした新しい砂のイメージが物語の中で生まれることで、読者の方も、自分たちの価値観を問い直すよう促されていることに注意しましょう。私たちも心のどこかで、単調で味気ない日常に失望し、何らかの変化を期待しているのではないでしょうか。もしかしたら、さまざまな国を旅しながら生きる、バックパッカーのような生活にあこがれているかもしれません。

ところが、『砂の女』に登場する新しい砂のイメージは、こうした「定着性」と「流動性」の対立的な関係を根本からくつがえすものとなります。たとえ私たちがどこに逃避しようとも、たどり着いた先には、また新たな日常のルーティンが待っているという絶望的な事実を、砂のイメージは突きつけていると言えるのです。

それでは、私たちはこうした空虚な毎日の繰り返しを黙って受け入れるしかないのでしょうか？　作者の安部公房は、その問いに対する答えも、別の砂のイメージを用いて表していました。物語のクライマックスにおいて、主人公は偶然、毛管現象によって砂から水が得られることを発見します。このことが、主人公の価値観を根底からひっくり返すものとなったのです。

いぜんとして、穴の底であることに変りはないのに、まるで高い塔の上にのぼったような気分である。世界が、裏返しになって、突起と窪(くぼ)みが、逆さになったのかもしれない。とにかく、砂の中から、水を掘り当てたのだ。［中略］穴の中にいながら、すでに穴の外にいるようなものだった。［中略］どうやら、これまで彼が見ていたものは、砂では

＊10　安部、前掲書、七九頁。

なくて、単なる砂の粒子だったのかもしれない。[*11]

主人公はそれまで、「定着」か「流動」かという二者択一の枠組みだけにとらわれていました。しかしながら、たとえどちらを選んだとしても、単調な日常生活への嫌悪感は変わることはありません。一方、砂が水を宿しているという発見は、こうした固定観念から主人公を解放させるものとなりました。乾いた砂から生命のシンボルである水が生まれるということは、いかなる単調な生活からも喜びを見いだすことができるという意味にほかなりません。もしそうであれば、私たちはどこで暮らしていようとも、つねに生きる目的を得られることになります。まさに、「穴の中にいながら、すでに穴の外にいるような」境地に達することができるのです。

◆文学的イメージと想像力

『砂の女』からは、砂という存在に「希望」や「喜び」といったイメージを発見することができました。文学作品に存在するさまざまなイメージを読みとることは、私たちの価値観を変化させる一つのきっかけとなります。読むという行為を通して、「現実の自分を見つめ直し、問い直す契機」[*12]を見いだすことができるのです。

こうしたユニークなイメージは、どのようにして作られているのでしょうか？　実は、イメージの生成には作家の持つ想像力が大きく関わっています。この点について、フランスの哲学者ガストン・バシュラール[*13]の評論を見てみましょう。

いまでも人々は想像力とはイメージを形成する能力だとしている。ところが想像力とはむしろ知覚によって提供されたイメージを歪形（わいけい）する能力であり、それはわけても基本的イメージからわれわれを解放し、イメージを変える能力なのだ。イメージの変化、イメージの思いがけない結合がなければ、想像力はなく、想像するという行動はない。［中略］それらは――これらの文学的イメージは――感情に希望を与え、人間たろうとするわれわれの

＊11　同上、二六一頁。

＊12　深川、前掲書、三〇頁。

＊13　フランスの哲学者（一八八四～一九六二）。フロイト、ユングなどの影響のもとに、文学を通じての夢と想像力の探究を行った。主著に『水と夢』『空間の詩学』『蝋燭の焔』など。

決意に特殊な逞しさを与え、われわれの肉体的生命に緊張をもたらす。*14

ここでバシュラールは、私たちが「想像力」という言葉を間違った意味で使っていると指摘しています。実のところ、私たちは想像力という言葉を、「頭の中でイメージを作る」というようなニュアンスで使っているかもしれません。

それに対してバシュラールは、想像力を「イメージを歪ませるパワー」であると述べています。例えば、「砂」という言葉から私たちがすぐに思いうかべるのは、「流動性」のイメージです。しかしながら、バシュラールにとって、こうしたイメージは、砂を見ればすぐ思いつく当たり前なものであり、想像力をまったく必要としません。

一方、それまで思いもつかなかったイメージを砂の中に見いだすとき、私たちは想像力を発揮することになります。実際、『砂の女』の作者の安部公房は砂という存在に水のイメージを見いだしました。このような新しいイメージによって、私たちの世界に対する認識は一新され、「感情に希望」が、「肉体的生命に緊張」が生まれるとバシュラールは指摘したのです。そう考えれば、イメージとは作品のテーマに欠かせないだけでなく、私たちの価値観を作り変えるという点で、はかりしれない可能性を秘めていると言えるでしょう。

＊14　ガストン・バシュラール『空と夢―運動の想像力にかんする試論』宇佐見英治訳、法政大学出版局、一九八八年、一～四頁。

9 間テクスト性

小説の世界では、作品の「オリジナリティ」が大変重視されます。たとえ素晴らしい物語だと世間から評価されても、いったんそれが盗作であることが分かってしまったら、作品の価値は全否定されてしまうかもしれません。小説の世界においては、他人の真似をせず、自分一人の考えで作品を作り出すことがつねに求められていると言えるのです。

しかしながら、批評家のジュリア・クリステヴァ*1によれば、まったくのオリジナルという作品はこの世に存在しません。新しく生まれてくるいかなる作品も、過去にあった別の作品を参照することによって成り立っているのです。クリステヴァは、文学作品が参照や引用によって成り立っていると見なすこのような考え方を、「間テクスト性」と呼びました。例えば、ある作品が知らず知らずのうちにほかの作品から影響を受けている場合や、過去の作品からある種の作風やパターンを自覚的に取り入れている場合もあるかもしれません。作家のデイヴィット・ロッジは、こうした間テクスト性の多様性について次のように述べています。

あるテクストが別のテクストとの関係を作り上げる仕方にはさまざまなものがある。パロディー、文体模倣、主題模倣、間接的言及、直接的引用、構造的並行関係など。理論家の中には、間テクスト性こそ文学の条件であり、作者が意識していようがいまいが、すべてのテクストは別のテクストの繊維で織り成されていると信じている者もいる。[*2]

文学作品のこうした特徴から、ロラン・バルトはすべての文学作品を「テクスト」と呼ぶべきであると述べました。「テクスト」の語源には、「紡（つむ）ぐ」や「織る」といった意味が含まれています。つまり、文学作品とは、あたかも織り物のようにさまざまな「糸＝文章」

＊1　ブルガリア出身のフランスの批評家（一九四一〜）。文学作品を多くの意味する行為の一つとみて、意味する行為すべてを解明する記号理論を打ち立てようとしている。著書に『中国の女たち』『セメイオチケ』など。

＊2　デイヴィッド・ロッジ『小説の技巧』柴田元幸・斎藤兆史訳、白水社、一九九七年、一三八頁。

が重なってできたもの、いわば「引用符のない引用」[*3]の組み合わせなのです。

そうであれば、テクストに「引用」された部分を発見し、分析することは、作品に新しい意味を見いだすきっかけとなります。作者がどのような意図をもってほかの作品を引用していたのかが明らかになることによって、より違った角度から作品をながめることができるのです。この章では、文学作品における「間テクスト性」の秘密について考えてみましょう。

◆引用から作者の意図を考える

どの部分が引用や参照であり、どの部分がオリジナルなのかを知ることは、その作品に込められた作者の「思い」を理解する助けになります。「作者は引用した部分にどのような変更点を加えたのか?」、「作者は何を新しく付け加えたのか?」といった点について調べることで、作品のテーマを浮き彫りにすることができるのです。

中島敦[*4]の小説『山月記』について考えてみましょう。実は、『山月記』を書くにあたり、彼は中国の昔話である『人虎伝』のあらすじを引用していました。実際、『人虎伝』も『山月記』と同じく、主人公である李徴(りちょう)という詩人が発狂して虎に変身する物語です。どちらの物語においても、虎になった李徴は、山の中で旧友の袁傪（えんさん）に再会しています。そして、李徴は袁傪に自分が虎になった経緯を語り、残された妻子のことを彼に託して別れています。
しかしながら、中島敦は『人虎伝』をただ忠実になぞろうとしていたわけではありません。彼はむしろ、意図的に『人虎伝』のストーリーに少し変更を加えて、なぜ李徴が虎に変身したのかについて、まったく別の理由を作り上げているのです。例えば、『人虎伝』の中では、李徴はまず妻子の世話を袁傪に依頼し、その後で自分の詩を記録してもらうよう頼んでいます。ところが、中島敦はこの順番を意図的に逆転させ、李徴がまず詩の記録を袁傪に依頼して、それから妻子の保護を彼に頼んだというように入れ替えました。さらに、妻子のことよりも詩作のことを気にかけ、自分の愚かさを自嘲する、次のようなセリフも付け加えています。

だが、お別れする前にもう一つ頼みがある。それは我が妻子のことだ。［中略］厚かま

＊3　ロラン・バルト『物語の構造分析』花輪光訳、みすず書房、一九七九年、九八頁。
＊4　小説家（一九〇九～四二）。『古譚』『光と風と夢』で作家としての地位を確立。パラオ南洋庁書記の職を辞して作家生活に入ろうとしたが、喘息のために夭折した。

> しいお願だが、彼等の孤弱を憐れんで、今後とも道塗に飢凍することのないように計らって戴けるならば、自分にとって、恩倖、これに過ぎたるは莫い。［中略］李徴の声はしかし忽ち又先刻の自嘲的な調子に戻って、言った。
>
> 本当は、先ず、この事の方を先にお願いすべきだったのだ、己が人間だったなら。飢え凍えようとする妻子のことよりも、己の乏しい詩業の方を気にかけているような男だから、こんな獣に身を堕すのだ。[*5]

このような順序の逆転により、読者は李徴のエゴイズムが彼を虎に変身させたことを理解することができます。家族よりも自分の詩のことばかりを気にかけていたその自己中心的な態度が、彼を変わり果てた姿に変身させたのです。[*6] もちろん、「詩人」になりたいという彼の願望は、決して罪ではなかったかもしれません。しかしながら、そのために家族を犠牲にしてしまったという事実は、とりもなおさず彼の非情さを裏打ちするものであったと言えるでしょう。

また、『人虎伝』において、袁傪は李徴の詩を手放しで褒めているのに対し、『山月記』の方では、「成程、作者の素質が第一流に属するものであることは疑いない。しかし、このままでは、第一流の作品となるのには、何処(どこ)か（非常に微妙な点において）欠ける所があるのではないか」[*7]と暗に彼を批判しています。これはすなわち、詩という芸術を追求するあまり、人間としてのあり方を見失ってしまった李徴には、感性豊かな詩が書けないことを示唆していると言えるかもしれません。このように、作者が原典のどの部分に手を加えたのかを知ることで、作者の思いをうかがい知ることができるのです。

◆対話の文学

ある文学作品の「引用」をひもとくと、その作品が実は別の作品に対する「反論」として作られたという事実を発見することもあります。つまり、ある作品のテーマに反発した作家が、それに対抗して新たな作品を書くというケースもあり得るのです。

＊5　中島敦『山月記・李陵　他九編』岩波書店、一九九四年、一一九～一二〇頁。
＊6　佐々木充「『山月記』―存在の深淵―」（勝又浩・山内洋編『中島敦「山月記」作品論集』クレス出版、二〇〇一年所収）、五四頁。
＊7　中島敦、前掲書、一一七頁。

太宰治[*8]と川端康成[*9]の関係について考えてみましょう。文学者の三谷憲正は、太宰の作品の中には、あきらかに川端を意識して書かれたものが存在すると指摘しました。[*10]
例えば、太宰が一九三四年に発表した『断崖の錯覚』は、一高[*11]の学生である「私」が、「28歳の新進作家」と身分をいつわって熱海に逗留し、喫茶店で働いている少女「雪」と親しくなっていくというストーリーです。この作品では、主人公のプロフィールや雪の姿が次のように描かれています。

> 私が二十歳になったとしの正月、東京から汽車で三時間ほどして行ける或る海岸の温泉地へ遊びに出かけた。[*12]
>
> 私はそのころ、年若く見られるのを恥かしがっていたものだから、一高の制服などを着て旅に出るのはいやであった。[*13]
>
> グラスをしばらく見つめてから、深い溜息とともにカウンタア・ボックスの少女の方をちらと見あげた。断髪の少女は、花のように笑った。[*14]

◆間テクスト性とパロディー

パロディーとは、過去の作品の特徴を一見して分かるように引用しつつ、まったく違う展開を描くことで、その作品の価値を風刺する文学作品のことを指します。ロラン・バルトが「エクリチュール[*24]は互いに対話をおこない、他をパロディ化し、異議をとなえあう[*25]」と述べているように、ある作品の作風を模倣することは、その作品のメッセージを相対化し、批判する効果を生んでいることが少なくありません。

一例として、芥川龍之介の小説『桃太郎』を見てみましょう。芥川といえば、「芸術至上主義者」「ぼんやりとした不安を抱えて自殺したペシミスト」「人生の傍観者」といったイメージが強いですが、実は当時の日本社会を鋭く観察し、これを痛烈に批判しようとする

＊21 「芥川賞作品を読む」ひつじ書房ウェブマガジン https://www.hituzi.co.jp/hituzigusa/2020/06/01/ap-01/ 二〇二〇年六月一日、二〇二〇年七月四日閲覧。
＊22 三谷、前掲書、一八三頁。
＊23 安藤宏「太宰治『逆行』論」『上智大学国文学科紀要』上智大学、一九九六年、六〇頁。
＊24 「書かれた言葉」を意味する文学上の概念。
＊25 バルト、前掲書、八八頁。

リアリストでもありました。こうした一面が強くにじみでているのが、この『桃太郎』なのです。

もともと、むかし話の『桃太郎』は、善良な桃太郎と動物たちが、悪い鬼を懲らしめるという勧善懲悪[*26]の物語でした。しかしながら、芥川はこれをパロディー化し、従来のストーリーとはまったく正反対の桃太郎像を作り上げています。例えば、芥川版の桃太郎が鬼ヶ島に行くのは、鬼が人間をいじめているからではなく、ただまじめに働きたくないからにすぎません。さらに、桃太郎は道中、イヌ、サル、キジと出会いますが、キビダンゴを半分だけしか与えない、ケチな野郎として描写されているのです。

一方、鬼ヶ島に住む鬼たちは、むかし話とは反対に、はるかに善良で、平和を愛する種族として描かれています。ところが、そんな鬼たちを桃太郎は容赦なく虐殺していきます。女や子供までもなぶり殺し、残った鬼たちをすべて奴隷にしてしまうのです。芥川が描く『桃太郎』は、なぜこれほどまでにオリジナルとかけはなれているのでしょうか？

芥川の意図は、この物語を通して当時の政治イデオロギーを批判することにありました。芥川が『桃太郎』を執筆した一九二〇年代は、ちょうど日本が帝国主義を推し進めていた時代にあたります。帝国主義とは、外国を侵略することで、自国の利益や領土を拡大しようとする思想のことです。当時の日本人にとって、むかし話の『桃太郎』とは、「悪い外国人（鬼）を善良な日本人（桃太郎）が懲らしめ、資源（財宝）を奪う」という、まさに帝国主義のイデオロギーを反映するストーリーでした。

芥川は、こうした日本人の暴力的なイデオロギーを批判するために、あえて『桃太郎』のパロディー化を試みました。「芥川の『桃太郎』は、ファシズムを胚胎する『大正』という時代に向き合い、そこで立ち上がる『日本国民』という共同意識に、ある種の亀裂を入れる試みであった」[*27]と文学者の原田光三郎が述べているように、芥川はパロディーという手法を通して、当時の日本国民の暴虐性を批判しようとしていたのです。

もう一つの例として、日本最初の近代小説として名高い、二葉亭四迷[*28]の『浮雲』について考えてみましょう。『浮雲』の主人公である内海文三は、東京で公務員として働き、叔母であるお政の家に下宿していました。文三は、お政の娘であるお勢から英語を教わるうち

＊26　「善をすすめ、悪をこらしめること」をテーマにする物語。
＊27　原田光三郎「芥川龍之介における主体の問題」『論叢国語教育学（11号）』二〇一五年、二五頁。
＊28　小説家（一八六四〜一九〇九）。日本最初の近代リアリズム小説『浮雲』を発表、近代口語文体を完成させた。リアリズム理論の先駆となった『小説総論』も記念碑的文献である。

に、やがて彼女と恋仲になります。お政も彼らの恋を好意的に見ていたため、このままいけば物語はハッピー・エンドを迎えるはずでした。ところが、文三は融通のきかない性格で、上司にへつらうことをせず、ある日仕事をクビになってしまいます。すると、お勢やお政は、今度は手のひらをかえすように文三へ冷たく当たるようになります。さらに、文三の同僚である世渡り上手の本田が登場すると、お勢は本田と親密になり、文三は一人孤独に取り残されてしまいます。

文学者の高橋修は、こうした『浮雲』のストーリーを「立身出世型小説」のパロディーであると指摘しました。[*29]「立身出世」とは、努力によって自分の社会的身分を向上させようとする思想のことを指します。『浮雲』が書かれた明治時代は、江戸時代の身分制度が撤廃され、多くの人々に成功する機会が開かれている、まさに立身出世型の時代でした。「立身出世は国民教育の目標であり、新しい道徳そのものでさえあった」[*30]と述べられているように、人々は学問さえおさめれば必ずや高い地位につけると信じていたのです。そのため、「立身出世」を奨励するような文学作品が当時は数多く読まれていました。サミュエル・スマイルズ[*31]の『西国立志編』や福沢諭吉の『学問のすゝめ』などはその代表的な例と言えます。

それでは、『浮雲』はどうでしょうか？　物語は一見、立身出世を思わせるような設定になっていることが分かります。貧しい田舎から上京してきた主人公の文三が、勤勉に努力して出世し、やがては母親を東京に呼び寄せ、美しい妻を娶ろうと考えるあたりは、まさに立身出世のパターンをなぞっていると言えるでしょう。

しかしながら、読者の期待は語り手によって見事に裏切られることになります。文三は免職となり、恋人であるお勢にもフラれることになりました。つまり『浮雲』は、サクセス・ストーリーを読者に期待させながらも、それをひっくり返してしまうことで、「立身出世」というイデオロギーを痛烈に批判していたのです。こうした意味で、『浮雲』はまさに、「先行するテクストを指示しながらその〈期待の地平〉を裏切り、パロディ化することによって新しい紋様を浮上させるという、微妙な意味生成の場を開示している」[*32]と言えるで

＊29　高橋修ほか『読むための理論―文学・思想・批評』世織書房、一九九一年、一七一頁。
＊30　臼井吉見編『現代教養全集7』筑摩書房、一九五九年、四二一頁。
＊31　イギリスの著述家（一八一二～一九〇四）。主著はビクトリア朝的諸価値を称揚し、自立独学を奨励する『自助論』で、日本でも『西国立志編』と題して翻訳され、記録的な売れ行きを示した。
＊32　高橋、前掲書、一七一頁。

しょう。

クリステヴァが指摘したように、あらゆる文学作品は、過去の作品を何らかの形で吸収し、変形させたものです。そうであれば、作品の中に過去のテクストの痕跡を発見することは、作品のテーマについて考えるヒントとなり得るでしょう。このように、さまざまな作品を比較してみることも、文学の楽しみ方の一つかもしれません。

10 リズム

心臓の鼓動、呼吸、脈拍など、私たちの身体はリズミカルな動きを繰り返しています。一方、外に目を向ければ、昼と夜の交代劇、移ろいゆく季節など、世界全体が躍動的なリズムに満ちていることも感じられます。私たちの生活はすべて、こうしたリズムによって成り立っているのです。

文学の領域においても、リズムは欠かせない要素の一つとなっています。リズムは文学に生命の息吹きを吹きこみ、言葉の芸術性をより豊かなものにしているのです。この章では、文学作品においてリズムの力がどのように発揮され、どのような効果を生んでいるのかについて考えてみましょう。

◆反復の劇的な効果

小説や評論といったジャンルには、一見すると言葉のリズムが存在しないように感じられるかもしれません。たしかに、「俺は東京生まれＨＩＰ ＨＯＰ育ち　悪そうな奴は大体友達　悪そうな奴と大体同じ　裏の道歩き見てきたこの街」[*1]といったヒップホップの歌詞のように、毎回韻を踏んで物語を書く作家はほとんどいないことでしょう。

しかしながら、すぐれた物語を作るうえで、リズミカルな文章はきわめて重要な要素です。この点について、作家のレオン・サーメリアンは次のように述べています。

韻律[*2]は詩には適切でも散文[*3]にはそうではない。とはいえ小説でも決して稀ではないし、あまり強調しすぎるのでなければ韻律を持つ短かい一節を物語の行動の盛り上がったところで使うと効果的であることもあり、また感情の高揚を表現するものとして認められてよいであろう。作家は言葉の表現力を高めたり記憶に強く訴えたりするようにするために、作品のところどころでちょっとした工夫を凝らすものなのである。[*4]

サーメリアンがこう指摘しているように、リズミカルな文章は読者の注意を引きつけます。その中でも一番基本的なリズムは「反復」であると言えるでしょう。作家は同じ表現を繰り返すことによって、文章に絶妙なリズム感を作り出すことができるのです。例えば、オホーツク海のサケ漁の場面を描いた、幸田文(こうだあや)*5の『濡れた男』の一節を見てください。

かけ声の拍子が短く高くなって、網は寄せられて来、早くも馴れた眼がまだまだ水深くいる魚の数を、「百か!」と読む。「はいっていないね」と云(い)う。えいやえいや。「しけあとでまだちょっと早い時間だ。」えいやえいや。私にもやっと見えた。丸くふとった青黒い背中で、魚は右往左往の速さで行きかう。えいやえいや。ばしゃばしゃっと重なりあった魚としぶき。よんしょっ! と大きく手操られて魚は水をあがった。嬉しさと

*1 「Grateful Days」(作詞・作曲……降谷建志、ACO、ZEEBRA)の歌詞。
*2 音の強弱、高低、長短、または同音の反復などによって作り出される言葉のリズム。
*3 韻律、字数、句法などに制限のない通常の文章。小説、随筆、日記など。
*4 レオン・サーメリアン『小説の技法—視点・物語・文体』西前孝監訳、旺史社、一九八九年、三五一頁。
*5 作家(一九〇四~九〇)。幸田露伴の次女。父の死後、『雑記』『終焉』『葬送の記』を書いて清新直裁な文体が認められる。一九五七年に日本芸術院賞を受賞。

哀しさ。海の幸はここに盛られて、温度の低い陽はきらきらとしている。北の海である。ほっとした表情の男たちは、胸もズボンもずぶ濡れである。濡れて、これもきらきらと光る男たちである。*6

ここで真っ先に目につくのは「えいやえいや」というかけ声の反復でしょう。言語学者の瀬戸賢一によれば、「このかけ声とともにリズムが生じ、文章全体に波及」し、「表現は刻まれ、共振し、切迫し、「よんしょっ!」でピークに達し」ています。*7 それだけではありません。「まだまだ」「ばしゃばしゃっ」「きらきら」など、同じ音の繰り返しが無数に現れ、リズミカルな波長が全体に広がっているのです。さらに、魚の描写にも反復のリズムが響いていることに注目してください。「右往左往」と「行きかう」には、音と意味の両方で反復が感じられ、また「嬉しさと哀しさ」という一文でも、「しさ」の反復によって言葉のコントラストが強調されています。*8 私たちはこの文章を通して、生命の躍動的な営みを感じとることができるのです。

反復の効果はほかにもあります。物語の雰囲気を徐々に盛り上げて、読者の興奮を高めていくという役割もその一つです。芥川龍之介の小説『藪の中』におけるクライマックスシーンを見てみましょう。

「あの人を殺して下さい。わたしはあの人が生きていては、あなたと一しょにはいられません。」――妻は気が狂ったように、何度もこう叫び立てた。「あの人を殺して下さい。」――この言葉は嵐のように、今でも遠い闇の底へ、まっ逆様（さかさま）におれを吹き落そうとする。一度でもこのくらい憎むべき言葉が、人間の口を出た事があろうか？　一度でもこのくらい呪わしい言葉が、人間の耳に触れた事があろうか？　一度でもこのくらい、――（突然迸（ほとばし）るごとき嘲笑（ちょうしょう））。[*9]

ここで、芥川が「一度でも」という言葉を反復して使っていることに注目してください。

＊6　幸田文『幸田文全集第11巻』岩波書店、一九九五年、二三八頁。
＊7　瀬戸賢一『日本語のレトリック―文章表現の技法』岩波書店、二〇〇二年、一〇四頁。
＊8　同上、一〇五頁。
＊9　芥川龍之介、『現代日本の文学11』学研、一九八四年、一六三頁。

これは「たんなるくり返しではなく、しだいに盛り上がり、最後には絶句[*10]」をもたらしており、クライマックスを作り上げるための重要な要素となっています。こうした工夫によって、「一瞬の間をおいて自らに対するほとばしるような嘲笑が響きわた[*11]」るという、読者を戦慄させるような、不気味な雰囲気が生まれているのです。

◆リズムが生む音楽性

反復のリズムは、ある特定のパターンで用いることにより、さらに一層音楽的になります。ここでは、文学者の小泉尚子が指摘した「ロンド」と「カノン」という二つのパターンによって、どのようなリズムが詩の中に生まれるのかを見てみましょう。

「ロンド」とは、A–B–A–C–Aのように、主題となるメロディーAが、いくつかのエピソードを挟みながら何度も繰り返されていくタイプの楽曲を指します。小泉は、中原中也[*12]の詩の中に、ロンドのようなリズムが見られると指摘しました。例えば、『サーカス』を読んでみましょう。

幾時代かがありまして

茶色い戦争ありました

幾時代かがありまして
冬は疾風吹きました

幾時代かがありまして
　今夜此処での一と殷盛り
　　今夜此処での一と殷盛り

サーカス小屋は高い梁
そこに一つのブランコだ

＊10　瀬戸、前掲書、一四二頁。
＊11　同上、同頁。
＊12　詩人（一九〇七〜三七）。ランボーやベルレーヌの影響を受け、『朝の歌』『山羊の歌』『在りし日の歌』など、虚無と倦怠に満ちた生の諸相をうたう詩篇を残した。

見えるともないブランコだ*[13]

（以下略）

ここでは、「幾時代かがありまして」というフレーズが三回繰り返されています。同じフレーズが何度も周期的に反復されることで、あたかもサーカスの空中ブランコのような、リズミカルな動きが展開されているのです。*[14]

これに対して「カノン」とは、同じメロディーが重ね合わせられながら奏でられる楽曲のことを指します。例えば、有名な童謡『かえるの合唱』を考えてみましょう。『かえるの合唱』では、最初の人が「かえるの歌が〜」と歌いだしたら、時間差で別の人が「かえるの歌が〜」と、同じメロディーを歌っていきます。それでは、文学作品において「カノン」的なリズムは、どのように用いられているでしょうか？　一例として、萩原朔太郎*[15]の詩『竹』を見てみましょう。

光る地面に竹が生え、
青竹が生え、

地下には竹の根が生え、
根がしだいにほそらみ、
根の先より繊毛が生え、
かすかにけぶる繊毛が生え、
かすかにふるえ。*16

（以下略）

ここでは、「竹が」「生え」「根が」「繊毛が」「かすかに」といった言葉が次々と現れ、まさにカノンのような構成になっています。こうしたいわゆる輪唱のような反復は、「竹が

＊13 中原中也『山羊の歌』角川書店、一九九七年。
＊14 小泉尚子「韻律とイメージで読み味わう詩の学習指導法研究―萩原朔太郎詩を手掛かりとして―」『全国大学国語教育学会発表要旨集（103号）』全国大学国語教育学会、二〇〇二年、一八一頁。
＊15 詩人（一八八六～一九四二）。官能的な神経の戦慄と近代的な孤独を、音楽性に富む口語表現でうたった処女詩集『月に吠える』で近代詩に一時代を画す。その後も近代日本を代表する詩人として尊敬を一身に集めた。
＊16 萩原朔太郎『月に吠える』角川書店、一九九〇年。

勢いよく生える様子だけでなく、竹のイメージを重層的に描き出す効果を生み出している」[*17]のです。

◆文の長さとリズム

リズムは、文の長さを調整することによっても生みだすことができます。例えば、村上龍[*18]の小説『コインロッカー・ベイビーズ』では、主人公のキクが棒高跳びの跳躍を成功させるシーンが次のように描写されています。

> 短距離走者よりさらに前傾してキクは走る。スパイクが土を蹴り上げる。場内が静まる。ポールの先端をボックスに鋭く突っ込む。ポールを曲げる。腰を折る。両足を垂直に持ち上げる。グラスファイバーがしなる。弾力の気配が伝わる。腕を引く。キクの体は空中に放り投げられた。[*19]

助川幸逸郎は、この文章の音数に注目しました。分かりやすいように、この文章を一文ずつ横並びに記してみましょう。

〈1〉短距離走者よりさらに前傾してキクは走る。
〈2〉スパイクが土を蹴り上げる。
〈3〉場内が静まる。
〈4〉ポールの先端をボックスに鋭く突っ込む。
〈5〉ポールを曲げる。
〈6〉腰を折る。
〈7〉両足を垂直に持ち上げる。
〈8〉グラスファイバーがしなる。
〈9〉弾力の気配が伝わる。
〈10〉腕を引く。

＊17 小泉、前掲書、一七九頁。
＊18 小説家（一九五二〜）。福生を舞台に若者風俗を描いた『限りなく透明に近いブルー』が群像新人文学賞、続いて芥川賞を受賞しベストセラーとなる。
＊19 村上龍『コインロッカー・ベイビーズ』上巻、講談社、一九八〇年、一一七頁。

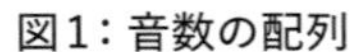

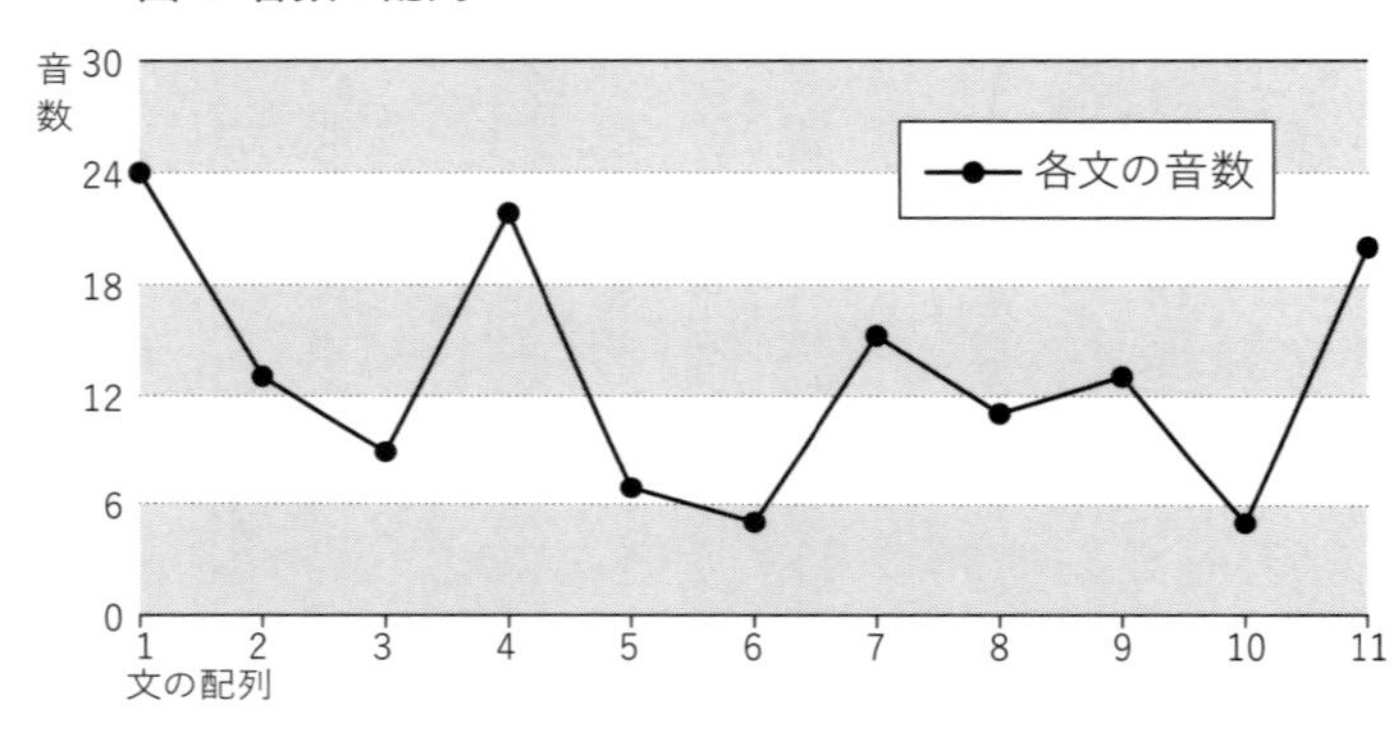

〈11〉キクの体は空中に放り投げられた。

このように横並びにして見てみると、文の長さの違いがはっきりと分かります。それぞれの音数をグラフ化すると、次のようになります（図1）。

グラフをよく見ると、一行目から三行目にかけて、文が徐々に短くなっていき、四行目でふたたび一行目と同じ長さに戻っていることが分かります。助川は、こうした音数の伸縮が、音楽の演奏においてテンポを次第に速めていき、クライマックスでふたたびテンポを落とす手法と同様の効果をもたらしていると指摘しました。[*20] 例えば、ベートーヴェンの有名な交響曲『運命』では、徐々にテンポを速めていったあとに、「ジャ・ジャ・ジャ・ジャーン」というドラマチックなメロディーが流れますが、ここではテンポがゆっくりとなり、クライマックスが荘重に演奏されています。同じように、この文章では接続詞を省略したり、言葉を断音的にしたりすることにより、テンポを速める工夫が加えられているのです。その結果、主人公が力を次第に溜めていったあと、四行目で一気に放出したような印象を読者は感じることができます。つまり、内容だけでなく、言葉のリズムからも、棒高跳び選手の躍動感を体感することができるのです。

次の五行目と六行目では、文の長さが再度短くなっていきます。とりわけ、六行目はここまでで最も短い文となっていることに注目してください。ここでは跳躍のために体を折り曲げているキクの姿勢が描写されています。いわば、「キクの体がもっとも縮んでいる箇所で、文を構成する音数も縮んで[*21]」いるのです。

続く七行目から九行目にかけては、長さがほぼ同じである文が並び、動作が連続している印象を読者にもたらします。一方、キクが力を最大限に溜め込んでいる一〇行目の「腕を引く」という箇所では、ふたたび文の長さが短くなり、最後の一一行目でその力が一気

＊20　助川幸逸郎『文学理論の冒険――〈いま・ここ〉への脱出』東海大学出版会、二〇〇八年、一四八頁。
＊21　同上、一四九頁。

に解放されていることが分かります。「物語内容と言葉のリズムには、ここでも見事に対応[*22]」しているのです。このように、文章の内容と長さを組み合わせることにより、作者は場面の緊張感を、リズムの面からも表現しようとしていると言えるでしょう。

「あらゆる芸術の基本的原則ともいうべき『反復』を通じて、リズムや脚韻や頭韻は神秘的な効果を発揮する[*23]」とサーメリアンが述べているように、こうした反復のリズムは、文学作品における重要な表現技法の一つと見なされています。私たち読者は、作品の中に記された、語り手の声に耳をすませることで、すばらしい言葉のリズムを楽しむことができるのです。

＊22　同上、同頁。
＊23　サーメリアン、前掲書、三五八頁。

11 文体

多くの読者から愛されている漫画には、独特な口調を持つキャラクターが登場することが少なくありません。例えば、高橋留美子の漫画『うる星やつら』に登場するヒロインのラムは、「〜だっちゃ！」というかわいい語尾がそのチャームポイントになっていますし、岸本斉史（まさし）の漫画『NARUTO－ナルト－』の主人公のうずまきナルトも、「〜だってばよ！」という口癖が作品の代名詞となっています。

このように、物語に登場するキャラクターや語り手の口調は、文学作品の「ボディ（体）」である「文体」の一部となっています。文体とは、語り手の性別や時代背景、また作品のジャンルや目的などによって変化する、文章のスタイルのことです。こうした文体は、作品に対する読者の好感度と密接に結びついていると言えるかもしれません。そもそもなぜ私たちは、特定の作家が書いた作品を好きになるのでしょうか？　もちろん、「作品のテーマが好き」だとか、「コメディー系が好き」といった理由もあるでしょう。しかしながら、私たちがある作家の作品に惹かれるのは、やはりその作家が描き出す独特な文体に、何か言いようのない魅力を感じているからではないでしょうか？　ある作品を読んで、「これは太宰治らしい書き方だ」と感じたり、「村上春樹の語りにはいつも引き込まれる」と述べたりするとき、私たちが考えているのは結局のところ、作家が生み出す「文体」にほかなりません。この章では、文体の特徴について考え、その本質に迫ります。

◆エクリチュール

日本語の文体を考えるうえでまず欠かせないのは、「敬体」と「常体」の区別でしょう。敬体とは、「〜です」や「〜ます」など、いわゆる丁寧語で書かれた文章のことです。例えば、今あなたが読んでいるこの文章は、語尾が「です・ます」であることから、敬体に属する文体であることが分かります。一方、常体とは、丁寧語を使わない文体を指します。常体の文章を用いる場合、語尾が「〜である」や「〜だ」になるのが一般的です。

普段、私たちがテレビや小説で聞いたり読んだりする文章のほとんどは、おそらく敬体か常体のいずれかで書かれていることでしょう。テレビのニュース番組では、キャスターは一貫して「です・ます」の敬体で話していますし、小説の語り手は、「である・だ」といった常体でストーリーを語っていくのが主流です。

しかしながら、実際の生活においては、必ずしも敬体や常体の文体ばかりを使うとはかぎりません。例えば、方言について考えてみてください。山形県の庄内地方でよく話される一般的な言葉ですが、東京の人から見れば標準語とはまったくかけ離れた、独特な言葉づかいわがらね。あだままぐまぐでゅう」[*1]という言葉は、「そげえっぺ、いわいでも、おれに聞こえるはずです。川上未映子[*2]の小説『乳と卵』や若竹千佐子[*3]の小説『おらおらでひとりいぐも』が芥川賞を受賞した背景には、登場人物の内なる声として大阪弁や東北弁が用いられていたことも、理由の一つとして挙げられるでしょう。こうした方言は、地方のコミュニティーが生み出すユニークな文体と言えるかもしれません。

＊1 「そんなにたくさん言われても私には分からない。頭が痛くなる」という意味。

＊2 小説家、詩人（一九七六～）。『乳と卵』で芥川賞を受賞。また、詩集『先端で、さすわ さされるわ そらええわ』で中原中也賞を受賞。

＊3 小説家（一九五四～）。二〇一七年、『おらおらでひとりいぐも』で文藝賞を受賞。翌年、同作で芥川賞を受賞。

ロラン・バルトは、特定の階級やグループで使われている言葉づかいを「エクリチュール」と呼びました。さらに彼は、私たちがこうしたエクリチュールを主体的に選びとることができるとも指摘しています。[*4] 実際、文学作品の中には、作家があえて個性的なエクリチュールを選びとり、さまざまな効果をねらっていることが少なくありません。例として、「視点」の章でも取り上げた、半村良の『箪笥』の一節を読んでみましょう。

今はもうこんながも無(の)うなってもうて、ここでは我家(おらうち)と七郎三郎(しっちょさぶろ)だけになってもうたがいね。夜(よさる)は暗いし、電気灯(とぼ)したかてこのとおりやさかい、部屋の数が多いばかりで、葬式でもなけにゃ、わたしらかて三月(みつき)も半年も入らん部屋かてあるわいね。[*5]

ここでは、「暗い室内で老人が語っているような不気味な雰囲気」[*6]が、能登半島の方言によってさらに強調されていることが分かります。私たちは語り手の独特な口調に聞き入るうちに、いつの間にか異様な物語の世界へ引き寄せられるにちがいありません。もちろん、方言というスタイルは分かりづらいというデメリットもあります。しかし、半村良は漢字にルビをふることで、方言の聴覚的な効果を維持しながらも、読者に物語を分かりやすく伝え、そうした障壁を乗り越えているのです。[*7]

もう一つの例として、太宰治の『女生徒』の一節も見てみましょう。

けさ、電車で隣り合せた厚化粧のおばさんをも思い出す。ああ、汚い、汚い。女は、いやだ。自分が女だけに、女の中にある不潔さが、よくわかって、歯ぎしりするほど、厭だ。金魚をいじったあとの、あのたまらない生臭さが、自分のからだ一ぱいにしみついているようで、洗っても、洗っても、落ちないようで、こうして一日一日、自分も雌の体臭を発散させるようになって行くのかと思えば、また、思い当ることもあるので、いっそこのまま、少女のままで死にたくなる。ふと、病気になりたく思う。うんと重い病気になって、汗を滝のように流して細く痩(や)せたら、私も、すっきり清浄になれるかも知

＊4　ロラン・バルト『零度のエクリチュール』石川美子訳、みすず書房、二〇〇八年、五頁。
＊5　半村良『能登怪異譚』集英社、一九九三年、一〇頁。
＊6　紅野謙介・清水良典編『ちくま小説入門―高校生のための近現代文学ベーシック』筑摩書房、二〇一二年、三九頁。
＊7　同上、一三頁。

れない。生きている限りは、とてものがれられないことなのだろうか。[*8]

太宰治はここで、当時の女子高生のエクリチュールを使うことで、思春期における少女の複雑な気持ちをありのままに伝えようとしています。もしこれが三人称視点から「だ・である」調で語られてしまうと、ヒロインの生の声を聞くことができず、リアリティーに欠けてしまうかもしれません。このように、エクリチュールはストーリーに独特な雰囲気を作り出したり、登場人物の個性を肉付けしたりすることで、物語の世界へと読者を誘い込む効果があるのです。

◆個性的な文体

一方でバルトは、エクリチュールという枠組みからも抜け出た文体、言いかえれば作者の人格から生まれた「個性的な文体」も存在すると論じました。[*9] いわば、その作家だけにしか書けない、唯一無二の文体と言えるかもしれません。例えば、志賀直哉[*10]の小説『荒絹』の冒頭はこんなふうに始まっています。

昔々或る山に美しい一人の女神が住んで居た。女神は美の神で、恋の神で、そうして妬みの神であった。[*11]

文学者の鳥海哲子は、こうした志賀直哉の文体から鮮明な印象を感じられると論じています。そうした印象は「寸分の隙もない如何にも充実した感じ」であり「実にカッチリとした確実な印象を我々に刻み込み、簡潔な素朴な叙述の中に、女神の崇高を感じさせる程、或る意味から言えば荘重でも[*12]」あります。

＊8　太宰治『太宰治文学館4』日本図書センター、二〇〇二年、三九～四〇頁。
＊9　Barthes, Roland Oeuvres complètes, nouvelle édition complète, revue, corrigèe et prèsetèe par Eric Mary, (tom 1), Seuil, 2002, 179.
＊10　小説家（一八八三～一九七一）。『城の崎にて』『清兵衛と瓢箪』『小僧の神様』などで文壇的地位を確立。格調の高い文体は感受性と描写力とを過不足なく兼備している。一九四九年に文化勲章を受章。
＊11　志賀直哉『志賀直哉全集第1巻』改造社、一九三七年、一四一頁。
＊12　鳥海哲子「志賀直哉研究：文体論的に」『日本文学（1）』日本文学協会、一九五三年、九二頁。

また、谷崎潤一郎[13]の小説『蘆刈』の一節も読んでみましょう。

　お遊さんという人は、写真を見ますとゆたかな頬をしておりまして、童顔という方の円いかおだちでござりますが、父にいわせますと目鼻だちだけならこのくらいの美人は少くないけれども、おゆうさまの顔には何かこうぼうっと煙っているようなものがある、貌の造作が、眼でも、鼻でも、口でも、うすものを一枚かぶったようにぼやけていて、どぎつい、はっきりした線がない、じいっとみているとこっちの眼のまえがもやもやと翳って来るようでその人の身のまわりにだけ霞がたなびいているようにおもえる、むかしのものの本に「蘭たけた」という言葉があるのはつまりこういう顔のことだ、おゆうさまのねうちはそこにあるのだというのでござりましてなるほどそう思ってみればそう見えるのでござります。[14]

　文学者の小林茂大はこの部分に関して、「日本人女性の古典的な顔立ちを柔らかい感じの日本的文体」で描写し、「委曲を尽くした説明描写[15]」が特徴的であると述べました。また、文の長さが極めて長いことについても指摘しています。たしかに、三〇〇字ほどの長さに句点（まる）が一つしかないことを考えると、長文的な傾向が顕著であると言えるかもしれません。

◆文体論による批評分析

しかしながら、こうした「カッチリとした確実な印象」や「柔らかい感じの日本的文体」といった表現は、あくまでも主観的な印象にすぎないことに注意しましょう。たとえ私が『荒絹』の一節から「カッチリとした確実な印象」があると感じたとしても、それは私ひとりが感じたことでしかありません。そうした印象をみんなに分かってもらうためには、すべての人が納得できるような客観的な証拠が必要なのです。さもないと、文体の違いを認識できるかどうかは、いわゆる「センスの問題」ということになり、正しい答えはどこに

＊13　小説家（一八八六〜一九六五）。官能美、女性崇拝を基調とした被征服による征服をモチーフとし、やがて悪魔主義と呼ばれる独自の作風へと発展。後に日本の古典美へと傾斜を深めた。代表作に『春琴抄』『細雪』など。

＊14　谷崎潤一郎『日本文学全集18』筑摩書房、一九七五年、三四八頁。

＊15　小林茂大「谷崎潤一郎の文体」『梅光女学院短期大学紀要（3）』梅光女学院短期大学、一九六六年、一四頁。

図1：『山月記』の文体比較

下書きA	人間は誰も猛獣使いで、それぞれ自分の性情がその猛獣に当るんだそうだが、
完成A	人間は誰でも猛獣使いであり、その猛獣に当るのが、各人の性情だという。
下書きB	全くボクの場合、自尊心というやつが、猛獣でしたよ。
完成B	己の場合、この尊大な羞恥心が猛獣だった。
下書きC	ねえ。全く。
完成C	虎だったのだ。

も存在しないことになってしまいます。

それでは、私たちはどうすれば文体の特徴を客観的に分析できるのでしょうか？　一つの方法として、ある作家の文体を他の文体と比較することにより、文体の個性に注目するアプローチが挙げられます。

中島敦の『山月記』を見てみましょう。文学者の濱川勝彦は、中島敦が書いた『山月記』の下書きと、完成した『山月記』を比べることで、中島敦が文体にどのような工夫を加えていたのかについて分析しました。*16 上の表を見てください。

こうして比較してみると、下書きの文体が、くどくどしい、話し言葉的な文体である一方、完成した『山月記』の文体は、重々しく、歯切れのよい短文で成り立っていることが理解できます。下書きでは

「当るんだそうだが」というあいまいな表現で文が終わっているのに対し、完成版の方では「〜だという」と書かれてあるように、はっきりとした言葉づかいで文を完結させているのです。また、「自尊心というやつが、猛獣でしたよ。」「ねえ。全く。」という言葉づかいからは、真剣さを欠いた、軽薄な印象が読者に伝わってくる一方、「猛獣だった」「虎だったのだ」という文体には、何かを噛みしめるような、沈痛なひびきが感じられます。このように、ほかの文体と比較することで、作家が用いた文体の特徴をよりはっきりと理解することが可能となるのです。

ほかにも、言葉づかいをデータ化することで、文体の特徴を統計学的に分析する「文体論」というアプローチもあります。文体論は、私たちが直観的に感じる文体の特色を「実証可能な言語学的データで補強[*17]」することを目指した、きわめて科学的な手法と言えるかもしれません。

＊16 濱川勝彦「『山月記』論―二律背反と逆説の世界」（勝又浩・山内洋編『中島敦「山月記」作品論集』クレス出版、二〇〇一年所収）、一〇九〜一一〇頁。

＊17 ピーター・バリー『文学理論講義―新しいスタンダード』ミネルヴァ書房、二〇一四年、二五〇頁。

一例として、梶井基次郎[*18]の文体に注目してみましょう。一般的に彼の作品は、「軽やかで明るい」第一期（一九二五～二六年）、「暗くて険しい」第二期（一九二七～二八年）、そして「軽やかで平俗さを志向」した第三期（一九二九～三二年）に分けることができると言われています。文学者の和田弘名は、こうした文体の変化を分析するため、作品における「文の長さ」や「漢字率（漢字の割合）」を計算し、折れ線グラフで表しました[*19]（図1）。

こうした研究から分かったことは、文の長さは増加しながらも、漢字率は減少しているという事実です。つまり、梶井基次郎は小説を書いていくうちに、文体がだんだんと読みやすく、やわらかなスタイルへと変化していったことが分かるのです。これはまさに、第三期の作品において「平俗さを志向」したと言われる、従来の指摘を裏付けるデータであると言えます。このように、文体論では作品における文法構造に注目し、言葉の技術的な側面をデータ化することで、文体の客観的な分析を行うことができるのです。

＊18　小説家（一九〇一～三二）。『檸檬』『愛撫』『のんきな患者』など、鋭い感受性と的確な表現に恵まれた作家で、その透徹した作風は死後高く評価された。

＊19　和田弘名「梶井基次郎『檸檬』における文体の計量分析」『帝塚山大学短期大学部紀要（41）』帝塚山大学、二〇〇四年、七四～八一頁。

図2-1：文長変動

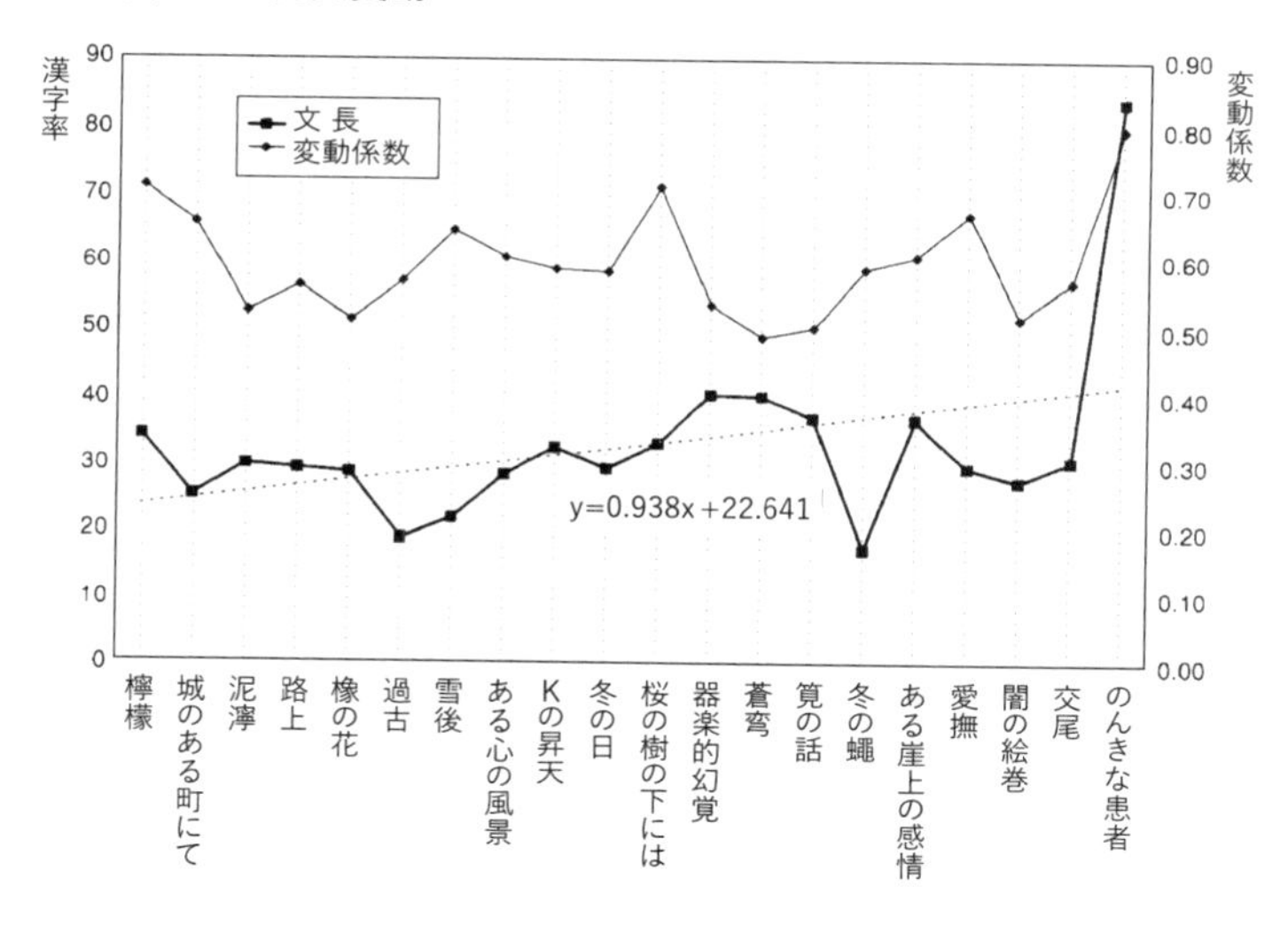

図2-2：漢字率

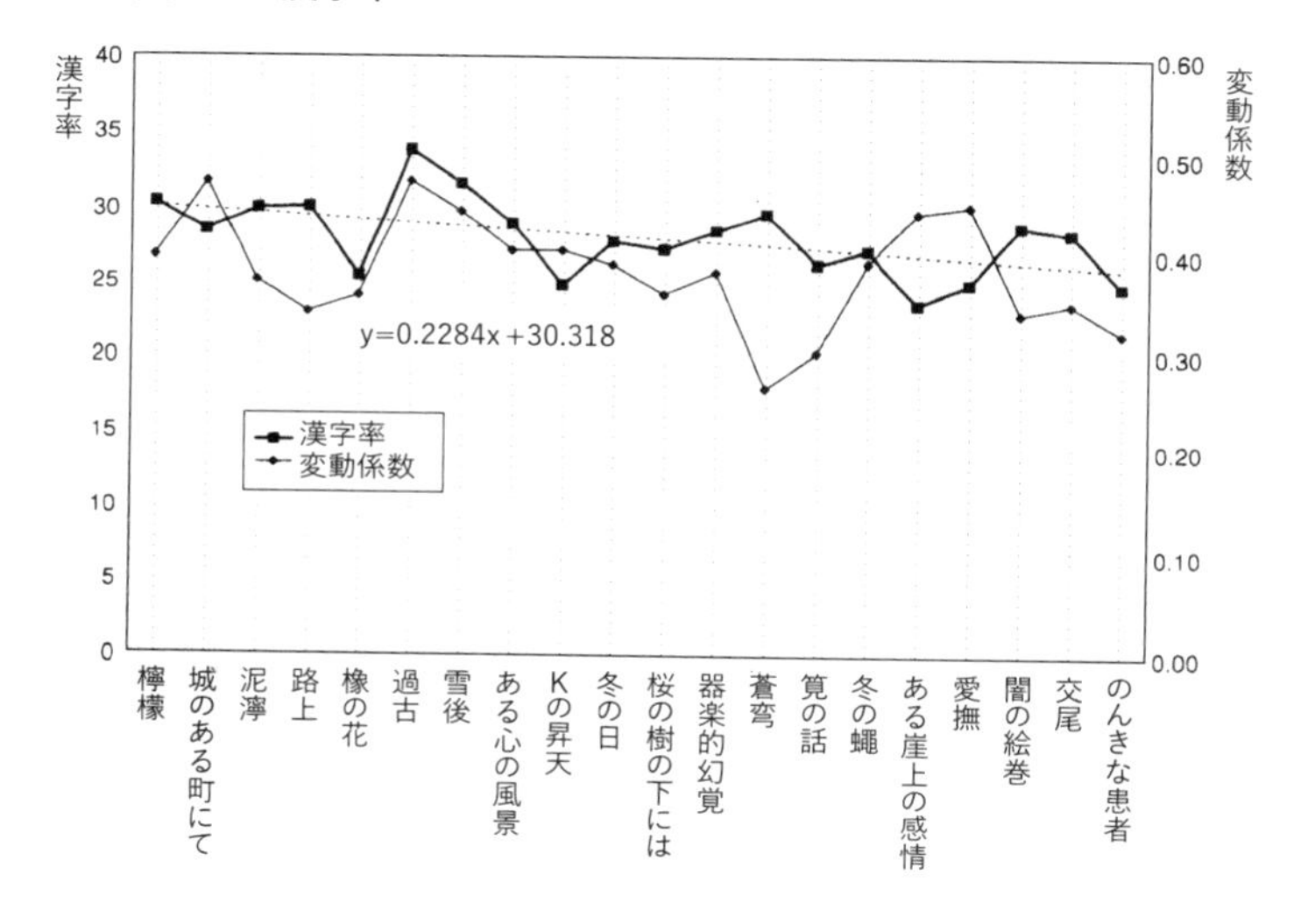

12 身体言語

私たちは誰しも、何らかの身ぶりを交えて話します。あいさつの際には、頭を下げるという身ぶりを通して相手への敬意を示そうとするでしょうし、意見を言いたいときは、手を挙げて自分に注意を向けさせることでしょう。このように、身ぶりは自分の思いを伝えるための重要なサインとなっています。

文学作品においても、登場人物の身ぶりは、ときに言葉以上に大切なメッセージを読者に伝えることがあります。ここでは、そうした「身体言語」が作品においてどのような役割を担っているのか、三つの例を通して考えてみましょう。

◆沈黙のコミュニケーション――横たわる

人間にとって、一番リラックスできる姿勢とは何でしょうか？　やはり最も一般的なのは、「横たわる」という姿勢でしょう。私たちは生まれてから死ぬまで、毎日この動作を繰り返しています。

この横たわるという姿勢に注目したのが、蓮實重彦（はすみしげひこ）[*1]です。蓮實は、夏目漱石の小説を研究するうちに、主人公が物語の中でいつもきまって横たわっていることを発見しました。[*2]例えば、『吾輩は猫である』の主人公である猫の飼い主の苦沙弥（くしゃみ）先生は、いつも書斎でうたた寝をする人物として描写されています。

吾輩は時々忍び足に彼の書斎を覗いて見るが、彼はよく昼寝をしている事がある。時々読みかけてある本の上に涎（よだれ）をたらしている。[*3]

昼寝は吾輩に劣らぬ位やるし、ことに暑中休暇後になってからは何一つ人間らしい仕

＊1　批評家（一九三六〜）。フランス文学の深い素養を根底とし、文芸批評、映画批評から小説まで執筆活動は多岐にわたる。『反＝日本語論』で読売文学賞を受賞。

＊2　蓮實重彦『夏目漱石論』青土社、一九八七年、二五頁。

＊3　夏目漱石『新潮日本文学3　夏目漱石集』新潮社、一九八〇年、六頁。

事をせんので、いくら観察をしても一向観察する張合がない。[*4]

吾輩はかつて主人がこの机の上へ昼寝をして寝返りをする拍子に椽側へ転げ落ちたのを見た事がある。[*5]

また、夏目漱石の代表作『こころ』でも、語り手である「私」が先生と初めて出会うのは海の中であり、先生は海の上で仰向けに横たわっています。

次の日私は先生の後につづいて海へ飛び込んだ。そうして先生といっしょの方角に泳いで行った。二丁ほど沖へ出ると、先生は後ろを振り返って私に話し掛けた。広い蒼い海の表面に浮いているものは、その近所に私ら二人より外になかった。そうして強い太陽の光が、眼の届く限り水と山とを照らしていた。私は自由と歓喜に充ちた筋肉を動かして海の中で躍り狂った。先生はまたぱたりと手足の運動を已めて仰向けになったまま浪の上に寝た。私もその真似をした。青空の色がぎらぎらと眼を射るように痛烈な色を私の顔に投げ付けた。「愉快ですね」と私は大きな声を出した。[*6]

このほかにも、夏目漱石の作品に登場する主人公は度々物語の中で横たわっています。こうした「横たわる」という身ぶりには、どのような意味があるのでしょうか？　この疑問に対して蓮實は、横たわるという行為が「会話の発生」と深く関わっていると指摘しました。先に述べたように、人間が一番リラックスできるのは横になっているときです。例えば、アメリカの映画などでよく見られる精神分析のシーンでは、患者が寝椅子やソファーに横たわっています。患者は横たわることで、抑圧された気持ちを自由に話すことができるのです。

同様に、夏目漱石の作品を読むと、横たわっている主人公の周りで、自然と会話が発生しているのが分かります。『吾輩は猫である』では、苦沙弥先生が昼寝をしていると、それに誘われるかのようにさまざまな人々が彼の家へと集まり、ウィットに富んだ会話が展開されます。同じように、『こころ』では、海の上で仰向けになっている先生を見た「私」が、

＊4　同上、一一六頁。
＊5　同上、一八三頁。
＊6　夏目漱石『こころ』岩波書店、一九八九年、一二頁。

思わず先生に話しかけてしまうのです。このような出来事は、もしも主人公が立ったり座ったりしていたなら、決して自然には起こらなかったことでしょう。

また、横たわるという身ぶりによって、主人公の秘められた思いが解き放たれるというケースもあります。例えば、『草枕』の主人公が部屋で横たわっていると、不意に一遍の詩が心に浮かんできます。

余はまたごろりと寝ころんだ。たちまち心に浮んだのは、

Sadder than is the moon's lost light,
Lost ere the kindling of dawn,
To travellers journeying on,
The shutting of thy fair face from my sight.[*7]

と云(い)う句であった。[*8]

さらに、『坊っちゃん』の主人公である「おれ」が下宿先で「洋服を脱いで浴衣一枚になって座敷の真中へ大の字に寝て」[*9]みると、なぜか手紙を書こうという気持ちが湧き起こってきます。つまり、夏目漱石の作品における「横たわる」という動作は、言葉が語られる引き金となっていると言えるかもしれません。「横たわること、それは漱石的小説にあっては、何らかの意味で言葉の発生と深くかかわりあった身振りである。仰臥の存在のかたわらで、人と人がであい、言葉がかわされ、そして物語がかたちづくられる」[*10]と蓮實が述べているように、「横たわる」という身ぶりは、相手を招きよせ、会話を生み出すという意味において、まさに主人公が演じてみせる最も雄弁かつ沈黙のコミュニケーションであると言えるでしょう。

＊7　「旅人にとって暁の白む前に月光が失われてしまう以上に、あなたの美しい顔がわたしの前から消え失せることの方がもっとかなしい」という意味（夏目漱石『草枕』岩波書店、一九九〇年、一八五頁）。

＊8　夏目漱石『現代日本小説体系16』河出書房、一九四九年、一一八頁。

＊9　同上、一六頁。

＊10　蓮實重彥、前掲書、二八頁。

◆抑圧された力の解放──円を描く

有史以来、女性はさまざまな差別を経験してきました。性別の違いを理由に、理不尽な制限を課せられたり、男性たちの暴力の犠牲となったりしてきたのです。現代においても、こうした問題は未だ解決していません。とりわけ、日本は男女格差が世界で最も大きい国の一つとされています。「世界ジェンダー・ギャップ報告書2021」によれば、日本の男女平等指数は世界一五三ヶ国中一二〇位と、最低ランクに位置付けられています。[*11] 会社や学校では、男性たちの心無いセクハラ発言が多くの女性たちを苦しめています。また、家庭の中で、家事や育児を当たり前のように妻に押し付ける夫たちも少なくないでしょう。しかも、彼らがそうした女性の苦しみや怒りに気づくことはほとんどありません。このように、女性たちは未だ根強い性差別に苦しんでいるのです。

しかしながら、そうした抑圧された怒りを表現することのできる場所が存在します。それが文学という場にほかなりません。一例として、古井由吉(ふるいよしきち)[*12]の小説『円陣を組む女たち』を見てみましょう。就職活動に明け暮れる大学四年生の語り手は、ある日、大学のグラウンドで演劇部の学生たちがギリシャ悲劇を演じている場面に遭遇します。それはちょうど、これから戦場に向かおうとする王に対して、女たちが戦争を止めるよう懇願するシーンでした。語り手はここで、王を演じる男子学生を半円形に囲みながら、彼を強い気迫で圧倒していく女子学生たちの不気味な力に気づきます。

女たちは台詞を口にするたびに一人ずつ、あるいは二人組になって、さまざまな角度から王のほうへ鋭く進み出て、憤る王の目を深いまなざしで見つめかえした。そして王はつぎつぎに違った角度から進み出て跪く女のほうへ目を移すたびに、そのたびに、弱々しく目を逸らすような感じになった。それが必ずしも演技ではないことは見ていて明らかだった。[*13]

＊11　SustainableJapan『世界「男女平等ランキング２０２１」、日本は１２０位で史上ワースト２。Ｇ７ダントツ最下位』https://sustainablejapan.jp/2021/03/31/global-gender-gap-report-2021/60498.20/44753. 二〇二一年七月一日閲覧。

＊12　作家（一九三七〜二〇二〇）。カフカやムージルの影響を受け、脱イデオロギーの私小説的な作風を追求した。代表作に『杳子』『聖』『栖』『親』など。

＊13　古井由吉『円陣を組む女たち』中央公論社、一九七〇年、七八〜七九頁。

前田愛は、ここで女たちが円形を描くように並んでいることに注目しました。[14] 円陣を組むという動作は、ある種の熱狂的な精神状態を生み出すことがあります。例えば、民俗学者の柳田國男（やなぎたくにお）[15]は、子どもたちが「かごめかごめ」といった遊びで円陣を組んでいるのは催眠状態を作り出すためであると考えました。[16] 丸い円を描いて並ぶことは、私たちの意識を消失させ、心の内にある抑圧された無意識を解放させる身ぶりとなるのです。事実、『円陣を組む女たち』では、円形を描くように並ぶ女たちの異様な動きが次のように神秘的に描写されています。

> 暗い空気の中へ溜息が獣たちの体臭のようになまなましくひろがり、雷雲が一段と低く地を覆うように感じられた。そして白い微光を滲（にじ）ます肌が入り乱れて、夏の埃を蹴立てながらもとの場所へよろめきもどり、王に対して懸命に身構えるように、低く沈めた体を寄せあった。それから、複雑に絡みあわされた白い腕と腕とがいきなり高くさし上げられ、すでに王の存在は眼中になく、円陣全体が空に向かってうっとりと悶えながら迫り上がりはじめた……[17]

このように、円陣を組むという行為は、抑圧された女性の怨念を象徴していると言えるでしょう。女たちの円陣は、「父性原理によって支配されてきた近代の秩序総体に異議申し立てをつきつけようとする」[*18]、彼女たちの声なき声なのです。

◆物語の謎を解く――笑う

『こころ』は、主人公が慕っている「先生」という人物がなぜ自殺したのか、その謎を中心として展開されるストーリーです。先生は死ぬ前に、次のような遺書を語り手に託します。

＊14 前田愛『文学テクスト入門』筑摩書房、一九九三年、二二一～二二三頁。
＊15 民俗学者（一八七五～一九六二）。国内を旅して民俗・伝承を調査、日本の民俗学の確立に尽力した。著書はきわめて多く、『定本柳田国男集』全31巻、別巻5巻（筑摩書房）に集大成されている。
＊16 柳田國男『柳田國男全集7』筑摩書房、一九九八年、一〇六頁。
＊17 古井、前掲書、七九～八〇頁。
＊18 前田、前掲書、二三一頁。

私は私の過去を善悪とともに他(ひと)の参考に供するつもりです。しかし妻だけはたった一人の例外だと承知して下さい。私は妻には何にも知らせたくないのです。妻が己(おの)れの過去に対してもつ記憶を、なるべく純白に保存して置いて遣(や)りたいのが私の唯一の希望なのですから、私が死んだ後でも、妻が生きている以上は、あなた限りに打ち明けられた私の秘密として、凡(すべ)てを腹の中にしまって置いてください。*19

この文章を読むとき、私たち読者の心には不可解な謎が生まれます。なぜ、先生は自分の遺書を妻にだけは見せないよう頼んだのでしょうか？ まず思いうかぶのは、「妻が遺書を見ることで、先生に対するイメージが悪くなってしまうことを恐れたから」という仮説です。たしかに、遺書には先生が過去に犯した過ちが詳細に描かれています。先生は若いころ、下宿先で「お嬢さん」という女性を好きになりますが、自分の友人「Ｋ」もお嬢さんを愛していることを知り、恋の三角関係に苦悩しました。結局、Ｋを騙すような形でお嬢さんを自分の妻としましたが、Ｋはそれを知って自殺してしまったのです。そう考えれば、先生が自殺した背景にＫへの罪悪感があることは間違いないでしょう。したがって、もしもこの遺書を妻が読んだ場合、それまでの先生に対する好意的なまなざしが、軽蔑のまなざしへと変わってしまうことは十分考えられます。

しかしながら、もし仮にそうであれば、なぜ先生は「妻が夫の過去に対してもつ記憶を、なるべく純白に保存して置いて遣りたい」と書かなかったのでしょうか？　こう書けば、先生がKを自殺に追い込んだという事実を、妻に知ってもらいたくないという意味になるはずです。ところが、先生は「妻が己れの過去に対してもつ記憶」を純白のままに守りたいと述べています。言いかえれば、妻が遺書を読むことで、彼女がそれまで持っていた、彼女自身に対する潔白なイメージが汚されてしまうと先生は暗示しているのです。

この謎に注目したのが、文学者の石原千秋[*20]でした。彼は、先生がKを裏切ってお嬢さんを奪った背景には、お嬢さんの「技巧」が関係していたと指摘しています。[*21]お嬢さんの技巧とはどういう意味でしょうか？　これを解く鍵が、「笑い」というジェスチャーです。

先生には元々、お嬢さんに告白しようという気持ちはありませんでした。というのも、

＊19　夏目（一九八九年）、前掲書、二七五〜二七六頁。

＊20　文学者（一九五五〜）。夏目漱石研究の第一人者として著名。『漱石と日本の近代』でやまなし文学賞を受賞。

＊21　石原千秋『反転する漱石』青土社、一九九七年、一九八頁。

先生はお嬢さんの母親が、わざと自分と彼女を接近させたがっているのではないかと疑っていたのです。幼少期に叔父から裏切られた経験を持つ先生は、そうした策略を何よりも嫌っていました。しかし、このような先生の態度を揺さぶったのが、お嬢さんの「笑い」だったのです。お嬢さんは、わざとKに気のあるようなそぶりを演じつつ、ときにはぞくっとするような、なまめかしい「笑い」によって先生の嫉妬心をあおりたてました。実際、先生の遺書には、お嬢さんの「笑い」に対する批判的な描写が幾度も登場しています。

それでいて御嬢(おじょう)さんは決して子供ではなかったのです。私の眼にはよくそれが解っていました。よく解るように振舞って見せる痕迹(こんせき)さえ明らかでした。[*22]

私は何か急用でもできたのかと御嬢さんに聞き返しました。御嬢さんはただ笑っているのです。私はこんな時に笑う女が嫌(きらい)でした。若い女に共通な点だといえばそれまでかも知れませんが、御嬢さんも下らない事に能(よ)く笑いたがる女でした。[*23]

すると御嬢さんは私の嫌(きらい)な例の笑い方をするのです。[*24]

文学者の秋山公男は、こうしたお嬢さんの笑いが「意識的な媚態であるのはもちろんのこと、挑発の意味すら含んでいたことは疑えない[*25]」と述べて、お嬢さんをはっきりと断罪しています。たしかに、もしもお嬢さんの笑いが先生の嫉妬心を刺激したのであれば、Kを自殺に追い込んだ罪の一端が彼女にもあると言えるかもしれません。そう考えれば、なぜ先生があれほど妻に遺書を見せることをためらったのかが理解できるでしょう。つまり、先生は、妻が遺書を読むことによって、彼女の「笑い」という技巧がどれほど重い罪であったかを、彼女自身が知ってしまうことを恐れていたのです。

「生きることは動くことである[*26]」と英文学者の武藤浩史が述べているように、私たちは毎日、多かれ少なかれ、何らかの身ぶりを行っています。そうした身ぶりは、ときに自分の

＊22　夏目（一九八九年）、前掲書、一七三頁。
＊23　同上、二〇四頁。
＊24　同上、二二一頁。
＊25　秋山公男『漱石文学論考―後期作品の方法と構造』桜楓社、一九八七年、一九八頁。
＊26　武藤浩史『「チャタレー夫人の恋人」と身体知―精読から生の動きの学びへ』筑摩書房、二〇一〇年、一頁。

意識とは関係なく、何らかのメッセージを相手に伝えるものとなるかもしれません。文学作品を読むことは、そうした「身体言語」の重要性に気づくきっかけとなるのです。

13 視覚的表現

日本語は、世界的に見てもきわめて特殊な言語です。この言語は、「文字」という視覚情報なしには会話が成立しません。例えば、「ジシンがあるか心配だ」という文を考えてみてください。「ジシン」という言葉が、「自信」か、それとも「地震」のどちらを指しているのかは、音声だけでは判断することが困難です。前後の文脈を手がかりに、頭の中で「ジシン」を「自信」や「地震」といった文字に変換することで、はじめてこの文の意味を理解できるようになるのです。

こうした問題は、他の言語で生じることはほとんどありません。英語の単語のつづりはいつも一つです。また、中国語で使われている漢字にはそれぞれに明確な声調があるので、聞き間違えることはほとんどないと言って良いでしょう。こう考えれば、日本語は一つの言葉に何種類もの表記が存在するという点で、とても不便な言語だと思うかもしれません。

しかしながら、一つの発音でいくつもの表記ができるということは、逆に言えば、文字を通した表現の可能性が無限に広がるという意味でもあります。実際、この点に関して詩人の渡邊十絲子（としこ）は次のように述べています。

日本は、職場の机に残す申し送りのメモには「ヨロシク」と書き、年賀状には「宜しく」と表記し、そのおなじことばに暴走族が「夜露死苦」という字をあててそろいの服に刺繡する国である。刺繡の文字はけっして「宜しく」ではありえない。表記する文字がちがえば、ちがうことばなのだ。*1

このように、日本語における表記の多様性は、そのまま視覚的表現の豊かさにつながります。私たちはこうした視覚的表現によって、言葉の音（おん）では決して言い表せない、さまざまなメッセージを伝えることができるのです。この章では、日本語による視覚的表現の手法とその魅力について考察していきましょう。

◆図像的イメージというからくり

一五世紀にヨハネス・グーテンベルク[*2]が活版印刷を発明して以来、文学作品は大量に生産され、多くの読者に読まれるようになりました。そこで注目されるようになったのが、印刷された文字である「活字（かつじ）」です。二〇世紀に登場した作家たちの中には、活字が単に言葉の意味を伝えるだけでなく、視覚的なイメージとしても機能していることを発見し、それを作品に応用しようと考えた人が少なからずいました。彼らは、こうした視覚的な記号（図像）を活用することにより、どのような表現行為が可能となるのかを追求しようとしたのです。

芥川龍之介の小説『羅生門』におけるタイトルについて考えてみましょう。元々『羅生門』は、平安京の南にあった「羅城門」と呼ばれる大きな門を舞台にした小説です。したがって、通常ならばタイトルは「羅生門」ではなく「羅城門」でなくてはなりません。[*3] し

＊1　渡邊十絲子『今を生きるための現代詩』講談社、二〇一三年、九九頁。

＊2　ドイツの金属加工技術者（一三九八〜一四六八）。世界で初めての印刷機械を作り、ラテン語の聖書（グーテンベルク聖書）の印刷を行った。

＊3　工藤茂「日本近代文学の一特質―『沈黙』と『羅生門』を中心として」『別府大学国語国文学（28）』一九八六年、六頁。

かしながら、芥川龍之介はあえてこの小説を『羅城門』ではなく、『羅生門』と名付けました。こうした工夫に関して、文学者の高橋世織(せおり)は、『生』を『羅(あみ)』にかける『門』という意味作用を発生させ」るために意図的に行われたものであると指摘しています。[*4]

実際、主人公である下人は、羅生門の中で老婆に出会うことによって、自分の人生観がまったく違う方向へと変わりました。芥川は人間の「生」を捕え、それを変化させてしまう「門」という意味合いを込めるために、あえてタイトルに「生」という文字を入れたと言えるでしょう。

高橋はほかにも、宮沢賢治の小説『山男の四月』における「四月」という文字に注目しました。『山男の四月』は、主人公の山男がある中国の行商人にだまされて、四角い箱に閉じ込められてしまう物語です。高橋は、宮沢賢治が「四月」という角ばったスタイルの字形を使うことで、「人間が箱に閉じ込められてしまう」というシナリオを暗示していたと指摘しました。

「四」という文字は、見方・書き方によっては、「□」の中に「人」が居る図象となる。それは「箱」の中の「人」でもあり［中略］なにより「四」という音が「死」と深くかかわっているために、山男の運命は、この時をあらわす文字の中に封印されている。[*5]

このように考えれば、宮沢賢治が「四月」という漢字を選んだ背景として、「四月」というスクエアな字づらが表す、視覚的なイメージが大きく関わっていたと言えるかもしれません。

こうした文字の視覚的効果をとことん研究したのが内田百閒（ひゃっけん）です。[*6]『山高帽子』という小説で、彼は「長」という文字をあらゆる場所で使っています。いわば、「長」という文字と戯（たわむ）れることを試みているのです。

長長御無沙汰致しましたと申し度（た）いところ長ら、今日ひるお目にかかつた計（ばか）りでは、

＊4　高橋世織ほか『読むための理論─文学・思想・批評』世織書房、一九九一年、三三二頁。
＊5　同上、三三三頁。
＊6　小説家（一八八九〜一九七一）。若くして夏目漱石門下に入り、小説家としては大成しなかったが、一種の精神的美食家として知られ、ユーモアと俳味に富む唯美主義的な随筆に独特の味わいを発揮した。

いくら光陰が矢の如く長れてもへんですね。長長しい前置きは止めて、用件に移りたいのですけれど、生憎なんにも用事が無いのです。止むなく窓の外を長めてゐると、まっくら長ラス戸の外に、へん長らの着物を着た若いおん長たっているらしいのです。びっくりして立ち上がろうとすると、女は私の方に長し目をして、それきり消えました。私はふしぎ長っかりした気持がしました。同時に二階の庇でいや長りがりと云う音が聞こえました。おん長のぞいたのは、家の猫のいたずらだったのでしょう。秋の夜長のつれづれに、何のつ長りもない事を申し上げました。末筆長ら奥様によろしく。*7

ここでは、「長」という文字が本来の用途から離れて、ガラス戸に変貌したり、女性になったり、さらには着物の柄に使われたりと、まさに文字の氾濫というべき現象が展開されています。あたかも「長」という文字が書き手の意思を超えて、独自の運動を始めているかのようです。その一方で、「若いおん長」という字づらからは、どこか長い女の顔が連想されますし、「へん長らの着物」とは縦縞の着物を暗示しているのかと考えたりと、読者の想像は尽きません。こうした視覚的表現の工夫は、私たちがそれまで抱いていた、硬直的な文字のイメージをひっくり返す効果を生んでいると言えるでしょう。

◆活字からイメージをつくりだす

言葉の表記によるイメージの生成は、詩の分野へ移るといっそうユニークで斬新なものへと変身します。例として、安東次男（つぎお）[*8]の『みぞれ』を見てみましょう。

地上にとどくまえに
予感の
折返し点があつて
そこから
ふらんした死んだ時間たちが
はじまる
風がそこにあまがわを張ると

*7　内田百閒『冥途・旅順入城式』岩波書店、一九九〇年、一五七～一五八頁。

*8　詩人（一九一九～二〇〇二）。思想的にも技法的にも前衛的な詩風により、第二次世界大戦後、詩人としての地位を確立した。また活発な評論活動、フランス文学の翻訳、紹介などを通じ、戦後詩の展開に重大な役割を果たした。

太陽はこの擬卵をあたためる
空のなかへ逃げてゆく水と
その水からこぼれおちる魚たち
はぼくの神経痛だ
通行どめの柵をやぶつた魚たちは
収拾のつかない白骨となつて
世界に散らばる
そのときひとは
漁
泊
滑
泪にちかい字を無数におもいだすが
けつして泪にはならない。*9

「みぞれ」とは、「雪が空中で溶けかけて雨まじりに降るもの」で、通常は空から地上に落ちていくはずです。しかし、この詩におけるみぞれは、「地上にとどくまえに」折り返してしまい、未来へと向かう時間が途中で断絶されていることが分かります。

ここで注目したいのは、作者が「腐乱」という漢字を用いず、あえて「ふらん」というひらがなで「死んだ時間」を形容したという点です。なぜ、安東はわざわざ「腐乱」ではなく「ふらん」という言葉を用いたのでしょうか？

これに関して詩人の高橋順子は、「『腐乱』ではなく『ふらん』としたのは、組織が溶けて、やわらかくなってゆく物質のさまを言い表したかったのだろう」[*10]と述べています。たしかに、ひらがなは漢字と違って、やわらかさや優しさといったイメージが備わっていると言えるかもしれません。その点を踏まえれば、「ふらん」という言葉は、物が徐々にやわらかく溶けていく様を視覚的に表現したものと考えることができるでしょう。

一方、「通行どめの柵をやぶつた魚たちは／収拾のつかない白骨となつて／世界に散らばる」という言葉からは、「白骨の魚」という死のイメージがうかんできます。それでは、

＊9　安東次男『安東次男詩集』思潮社、一九七〇年。
＊10　大岡信編『現代詩の鑑賞１０１』新書館、一九九八年、三九頁。

続く「漁」「泊」「滑」という漢字には、どのような意味が込められているのでしょうか？

高橋は、これらをサンズイという「水」のついた「魚」「白」「骨」として解釈しました。そのうえで、これらの漢字が、前に述べた「白骨の魚」のイメージに対応していると指摘しています。[*11] ここでは漢字が、もはや意味を伝える言葉ではなく、「水びたしの白骨の魚」を視覚的に表現するためのパーツとして機能しているのです。このように、現代の詩人たちは、表記の使い分けを意識的に行っています。表記の多様性は、文学をよりいっそう味わい深いものとしているのです。

◆余白と改行の効果

詩において欠かせない、もう一つの重要な視覚的表現が、余白という存在です。普段、私たちは本を読む際、紙面に白く残っている余白に注目することはほとんどありません。なぜなら、作者からのメッセージは、書かれている文字だけから読みとれるものだと思い込んでいるからです。しかしながら、詩人はそうした読者の意表を突くかのごとく、余白を用いてさまざまな表現を試みています。例えば、次の一節を見てみましょう。

孤独におびえて狂奔する歯
とびあがってはすべり落ちる絶望の声
そのたびに私はベッドから少しずつずり落ちる[*12]

ここでは、「私」が恐怖に打ちのめされて、少しずつ眠りから覚醒へと引きずり下ろされる場面が描かれています。各行の長さが絶妙に計算されていることに注目してください。実際、各行の終わりの文字を線でつなげれば、「私」が段々とずり落ちていく様子が余白によっても表現されていることに気づくでしょう。このように、余白は詩というジャンルにおいて、とりわけ欠かせない表現方法の一つとなっているのです。

詩人の野村喜和夫[*13]は、余白が詩人にとってきわめて重要な存在であることを指摘し、次

＊11　同上、同頁。
＊12　三好豊一郎の詩『囚人』（『三好豊一郎詩集』土曜美術社出版販売、二〇一五年所収）からの抜粋。
＊13　詩人（一九五一〜）。詩集『特性のない陽のもとに』で第四回歴程新鋭賞、『風の配分』で第三〇回高見順賞、『ニューインスピレーション』で第二一回現代詩花椿賞を受賞。また、小説、批評なども手がけている。

のように述べています。

どんな場合にも余白は、意味の流れの切断や遅れとしてもたらされる。行かえとして、あるいは行間として、あるいは言葉と言葉の隙間として、いずれにもせよ散文の線条性を破壊し、詩そのものである言葉の空間配分をつくりだしてゆくのである。等価性の原理を成り立ちやすくするのも詩行＝余白であると言えよう。*[14]

ここで野村は、余白が担っている二つの機能について言及しています。一つは、「散文の線条性を破壊」すること、そしてもう一つが「等価性の原理を成り立ちやすくする」ことです。まず、「散文の線条性を破壊」するとはどういう意味でしょうか？　この点について考えるために、安藤次男の『薄明について』という詩を見てみましょう。

薄明を
そしきせよ

薄明
をそしきせよ
そこから
でてくるのは
無数
の
ぬれて
巨きな掌

無

＊14　野村喜和夫『現代詩作マニュアル―詩の森に踏み込むために』思潮社、二〇〇五年、一八七頁。

数

の

ぬれて

巨きな足[*15]

(以下略)

渡邊十絲子は、この詩における改行の効果に注目しました。まず第一連では、「薄明を/そしきせよ」と述べられ、「薄明」という言葉が「そしき」される対象として描かれています。ところが、二連目では改行によって、「薄明」だけにスポットライトが当てられ、「薄明」は受け身の存在ではなく、「自立した薄明そのものの存在感をもつ[*16]」ようになっていることが分かります。言わば、読者は「薄明」そのものをイメージしたあとに、「をそしきせよ」という部分を読むことになるのです。

同じように、四連目の「無数」という、一つの確固としたイメージをもった言葉は、六連目で分断されることによって「無」と「数」という二つの異なる概念を生み出し、互いのイメージが反響しあっています。このように、改行によって余白を調整することで、「ひとつの単語に重層的な喚起力をもたせる」[*17]ことが可能となるのです。こうした意味で、詩は「散文の線条性」を破壊し、散文の構成にしばられていた言葉に、新たな生命を吹き込んでいることが分かります。

それでは、「等価性の原理」とは何でしょうか？　この点について野村は、三好達治[*18]の詩『祖母』を例に挙げて説明しています。

祖母は蛍(ほたる)をかきあつめて
桃の実のやうに合せた掌(て)の中から
沢山(たくさん)な蛍をくれるのだ

＊15　安東次男『安東次男著作集1』青土社、一九七七年。
＊16　渡邊、前掲書、一一二頁。
＊17　同上、一一四頁。
＊18　詩人（一九〇〇～六四）。詩集『測量船』で詩人としての名声を確立し、堀辰雄らと詩誌『四季』を創刊。高い格調と清新な感覚で昭和時代の叙情を示した。

祖母は月光をかきあつめて
桃の実のやうに合せた掌の中から
沢山な月光をくれるのだ[*19]

ここで作者が余白に調整を加えることで、「蛍」と「月光」を同じ位置に置いていることに注目してください。こうした言葉の配置によって、「蛍」のイメージと「月光」のイメージが重なり、「蛍」が「月光」の比喩として新しい意味を帯びることになります。祖母が孫に手渡しているのはごく普通の蛍でありながらも、同時にそれは、「月の光」という何か神秘的なもの[*20]へと変貌するのです。このような比喩的技法は、散文の形式ではうまく表現することができません。余白の効果はまさに、詩の特権であると言えるでしょう。こうした表記の多様性や余白の配置における工夫は、今後も私たちのイメージを無限に広げてくれるに違いありません。

＊19　三好達治『測量船』講談社、一九九六年。

＊20　野村、前掲書、一五九頁。

14
空白

文学作品とは、一つの完結した世界であるとよく言われます。たしかに、小説というものは、はじめと終わりがなければ成立しません。日本の有名な昔話である『桃太郎』であれば、ストーリーは「むかしむかしあるところに……」から始まり、「幸せに暮らしました」で終わることで、はじめて言葉の連なりが一つの文学作品として完成します。また、国語のテストにおいては、書かれていることについてのみ問われるのが普通であり、丹念に文章をたどっていけば、答えはおのずと分かるはずだというのが一般的な考えでしょう。

しかし、書かれた内容が存在するということは、裏を返せば作者があえて語ろうとしなかった部分が存在するということにほかなりません。実のところ、登場人物の動作や心情があえて描かれていなかった場合、そこには作者が意識的に（もしくは無意識的に）隠そうとした、何らかの秘密が込められていることが少なくないのです。作品にひそむこうした「空白」は、私たちの想像力を刺激し、そこに隠された真相を知りたいという欲求を心に植えつけます。この点に関して、批評家ヴォルフガング・イーザー[*1]は『行為としての読書』の中で次のように述べました。

一見とるに足らない場面で語られぬままにされたこと、会話の中での飛躍、こうしたことが読者に空所を投影によって補いたい気持ちを起こさせる。読者は出来事の中に引き入れられ、語られてはいないがこのように考えたはずだと想像するようになる。これがダイナミックな過程の始まりである。[*2]

イーザーが指摘するように、物語における「空白」は、私たちを物語の中へと引きずり込む、重要な役割を果たしていると言えます。こうした空白の効果は、日常生活において

＊1　ドイツの文学者（一九二六〜二〇〇七）。独自の受容美学を構築し、コンスタンツ学派の中心人物となった。

＊2　ヴォルフガング・イーザー『行為としての読書―美的作用の理論』轡田收訳、岩波書店、二〇〇五年、二八九頁。

もよく見られる現象かもしれません。例えば、「私の服装、似合ってる？」と友人にたずねられたとき、「うん、似合うよ」と答えるか、「………うん、似合ってるよ」と長い間をおいて答えるかでは、おのずと意味合いが変わってくるでしょう。

このような空白の原理は、文学の領域においても同じように働きます。作品を解釈するためには、語られた部分だけではなく、逆に語られなかった部分を分析の対象に組み入れなければなりません。つまり、それまで見えていなかった作品の「空所」や「隠蔽」をていねいにうかび上がらせ、そこから物語の真実を見いだす作業が不可欠となるのです。この章では、空白が文学において果たすさまざまな役割について見ていきましょう。

◆空白――読者の好奇心を刺激する

まず、文学作品における空白が、読者の好奇心をかきたてるという点は容易に想像できるかもしれません。物語で省かれた部分から、私たち読者は知らず知らずのうちに空想を広げていき、無意識のうちに何らかの意味をそこからくみとろうとします。一例として、樋口一葉[*3]の小説『たけくらべ』を考えてみましょう。『たけくらべ』のヒロインである美登利（みどり）は遊廓[*4]の家に生まれ、姉は吉原遊廓で売れっ子の遊女[*5]として生計を立てています。美登利は一四歳になるまで、一歳下の幼なじみである正太郎と近所で遊ぶ、勝ち気で無邪気な性格の持ち主でした。ところが、彼女は酉の市にはじめて遊廓に入ってから、まったくの別人のように変わってしまったのです。美登利は「大人に成るは厭(いや)な事[*6]」と謎めいた言葉を述べて、仲良しの正太郎とも距離を置くようになってしまいます。いったい遊廓の中に入ってから出てくるまでの間に、何が起こったのでしょうか？　この点に関して、語り手は何も述べておらず、沈黙を保ったままなのです。

この謎の空白は、多くの読者の想像力をかき立ててきました。劇作家の長谷川時雨[*7]や前田愛は、美登利の性格が豹変した原因として、彼女が初潮を迎えたからであると解釈しています。実際、このとき美登利の母親は、彼女のために赤飯を炊いていました。日本では

＊3　小説家（一八七二～九六）。一八九五年に『にごりえ』『たけくらべ』などを発表。森鴎外、幸田露伴、斎藤緑雨などに激賞されたが、若くして肺結核で没した。
＊4　遊女を抱え、客を遊ばせる家。
＊5　売春を仕事にする女性。
＊6　樋口一葉『にごりえ・たけくらべ』岩波書店、一九六一年、九六頁。
＊7　劇作家（一八七九～一九四一）。戯曲『海潮音』が読売新聞の懸賞で特選。以後『覇王丸』『さくら吹雪』などを発表。夫の援助で『女人芸術』を復刊し、林芙美子らをそだてた。

昔から、初潮の祝いとして赤飯を食べる習慣があったと言われています。そう考えれば、初潮という説も納得がいくかもしれません。

一方、作家の佐多稲子[*8]や大岡昇平[*9]は、このとき遊郭で美登利の「初見世（はつみせ）」（遊女がはじめて店に出て客をとる）が行われたと解釈しました。純粋無垢な子供時代は終わり、これからは自分の身体を商品として売っていかねばならないという悲惨な現実が、美登利を憂うつな気持ちにさせたのだと考えたのです。

このように、物語において語られていない部分は、さまざまな想像をめぐらす絶好の機会を読者に与えてくれます。ほかにもこうした空白の効果がよく発揮されているのは、新聞の連載小説においてでしょう。例えば、夏目漱石の『こころ』は当時大ヒットした小説でしたが、その商業的な成功の背景には、この作品が朝日新聞の連載小説として執筆されていたという事実がありました。連載小説は、一話ずつストーリーが新聞に掲載されるスタイルなので、物語の続きを読むまでに、大きな時間的な空白が生じます。『こころ』の読者は、物語の結末はどうなるのか、期待に胸をふくらませたに違いありません。このような空白が、『こころ』の人気に大いに貢献したと言えるでしょう。

◆空白——読者の価値観を転換させる

一方、前述したイーザーは、読書という行為が私たちの価値観を変化させる効果を持っていることも指摘しました。そもそも、私たちは作品の空白を埋める際、自分の文化や経験に基づいて解釈しようとします。例えば、綿矢りさ[*10]の『蹴りたい背中』の冒頭を読んでみましょう。

さびしさは鳴る。耳が痛くなるほど高く澄んだ鈴の音(ね)で鳴り響いて、胸を締めつけるから、せめて周りには聞こえないように、私はプリントを指で千切る。細長く、細長く。紙を裂(さ)く耳障りな音は、孤独の音を消してくれる。気怠(けだる)げに見せてくれたりもするし

＊8　小説家（一九〇四～九八）。生活は貧しく、小学校を中退した。『キャラメル工場から』でデビュー。戦後は自らの内面を掘り下げる作品を発表するかたわら、女性運動の一翼も担った。

＊9　小説家（一九〇九～八八）。戦争体験をもとにした『俘虜記』で作家として出発。精細な心理描写と知的な作品構成で知られる。ほかに『武蔵野夫人』『野火』など。

＊10　小説家（一九八四～）。高校時代に書いた『インストール』で注目を集める。新世代の感覚で描いた青春ストーリー『蹴りたい背中』で芥川賞受賞。一九歳での受賞は当時の史上最年少。（『デジタル大辞泉』、小学館）

ね。葉緑体？　オオカナダモ？　ハッ。っていうこのスタンス。あなたたちは微生物を見てはしゃいでいるみたいですけど（苦笑）、私はちょっと遠慮しておく、だってもう高校生だし。ま、あなたたちを横目で見ながらプリントでも千切ってますよ、気怠く。っていうこのスタンス。[*11]

この文章には、さまざまな空白が含まれています。語り手は女性でしょうか、それとも男性でしょうか？　今どこにいるのでしょうか？　なぜ孤独を感じているのでしょうか？　こうした点に対する答えは、この文章には書かれていません。

しかしながら、私たち読者は、無意識のうちにそうした空白を埋めています。例えば、「ハッ。っていうこのスタンス。」や「あなたたちは微生物を見てはしゃいでいるみたいですけど（苦笑）」など、語り手が若い女性のような口調でしゃべっていることから、主人公は女性であると判断するかもしれません。「プリント」「葉緑体」「高校生」という単語からは、語り手が高校生で、生物の授業を受けているのだと推察できるでしょう。そうであれば、「孤独」を感じている理由として、クラスメートたちから孤立しているからだと考えるかもしれません。このように、読者は自分たちの文化や経験に基づいて空白を埋め、作品から首尾一貫した意味を組みたてようとします。

ところが、文学と呼ばれるものの中には、読みすすめていくうちに、読者の解釈に問題が生じてしまうようなケースが少なくありません。言いかえれば、作品に書かれてあることと、読者が作り上げた解釈が矛盾してしまうことがあるのです。このとき読者は、何度も作品を読み直す必要にせまられることになります。その結果、読者は今までの価値観や思考パターンにしがみつくことをやめ、新しい見方を獲得するようになるとイーザーは考えました。つまり、イーザーにとって文学作品とは、私たちの固定観念をくつがえし、読者の内面世界を変化させてくれる存在なのです。

例えば、川上弘美[*12]の短編『神様』について考察してみましょう。『神様』は、主人公の「わたし」と一頭の「くま」の交流を描いた物語です。ある日、「わたし」が住むアパートに、「くま」が引っ越してきました。「くま」は成熟したオスのクマで、名前がありません。「わたし」は「くま」に誘われて川原まで散歩に出かけます。そこで「くま」は「わたし」

＊11　綿矢りさ『蹴りたい背中』河出書房新社、二〇〇三年、三頁。

＊12　小説家（一九五八〜）。『神様』でパスカル短編文学新人賞をうけて本格的に小説にとりくみ、『蛇を踏む』で芥川賞。異形のものとの交流をえがく幻想的な作品が多い。（『日本人名大辞典』、講談社）

のために大きな魚をプレゼントしてくれました。一緒に草の上に座って弁当を食べたあと、二人はアパートまで戻ります。「わたし」がアパートの前で「くま」と別れようとするとき、「くま」は抱擁(ほうよう)を交わしていただけますかと「わたし」にたずねます。「わたし」が承諾すると、「くま」は両腕を大きく広げて「わたし」を抱擁し、クマの神様のお恵みが、あなたの上に降り注ぎますようにと「わたし」のために祈ってくれました。帰宅した「わたし」は最後に、「悪くない一日だった」という感想を述べて物語は幕を閉じます。

ふしぎな魅力を持ったこの作品は、同時に、さまざまな「空白」で満ちあふれています。そもそも、主人公である「わたし」の正体は謎に包まれています。例えば、物語に出てくる「わたし」のセリフは、家に帰る間際に発した「では」という一言のみであり、読者は「わたし」の声を読みとることができません。また、「わたし」の容姿や服装についての描写も存在せず、「わたし」とはいったいどのような人間なのか、最後まで分からないままなのです。

文芸評論家の清水良典もこの点を指摘し、読者は「わたし」という人物の性別さえも区別することができないと述べています。[*13] 実際、ある高校で生徒たちに「わたし」の性別について質問したところ、「くまより背が小さい」という記述や「日記を書く」という箇所から、「わたし」を女性として解釈した生徒がたくさんいた一方、「タオルで汗を拭う」という描写や「梅干しのおにぎりを食べる」という部分から、男性の姿をイメージした生徒も少なからずいました。また、年齢についても、一〇代の若者という意見から、五〇代の中年と考える意見まで挙がっており、「わたし」に対するイメージが、実に多岐にわたっていた様子がうかがえます。*14

文学者の吉沢夏音と清水理佐は、『神様』におけるこうした「語りの空白」に注目しました。*15 この作品を読んでいく際、私たちは主人公である「わたし」に関する空白を、無意識のうちに自分自身の文化や価値観に基づいて埋めていこうとします。一例として、この作品を留学生に読ませたところ、欧米の学生の多くが「わたし」を女性として読んだのに対し、中国や韓国の学生は、全員が「わたし」を男性として解釈していたという研究報告も

＊13 清水良典「くまと〈わたし〉の分際：川上弘美『神様』」『群像』講談社、二〇一五年、一五五頁。
＊14 鎌田均「『自分とは何か』を問い続ける〈言葉の力〉—川上弘美『神様』を例にして」『日本文学（第60号）』二〇一一年、六九頁。
＊15 吉沢夏音・清水理佐「クィアの視点から読む文学教材での教育実践—川上弘美『神様』における〈語りの空白〉を利用して—」『教育デザイン研究（第10号）』二〇一九年、二一～一一頁。

あります。[*16]

しかしながら、私たちは作品を繰り返し読んでいくうちに、自分たちの「読み」が、決して絶対的なものではないことに気づきます。言いかえれば、自分が持っていた固定観念にゆらぎが生じるのです。例えば、吉沢らが高校で実施した調査によると、生徒たちは作品の読み直しを通して、主人公の性別を決定づける根拠がどこにもないこと、自分たちが勝手に自己のジェンダーイメージを作品に押しつけていたことを自覚し、自身の固定観念に気づくことができました。これはまさに、イーザーが指摘する空白の効果にほかなりません。このように、文学作品における空白は、読者の価値観を変化させる役割も担っているのです。

◆作品との対話

「読者の解釈によって言葉の隙間が埋め尽くされ、それ以上新しい読みを生まなくなること［中略］それは、小説にとって死を意味する。[*17]」石原千秋がこう述べているように、空白は作品が生き続けるために不可欠な要素です。もちろん、作品に空白があることによって、解釈は一つに定まらないかもしれません。しかしながら、逆に空白があるおかげで、私たちは作品との「終わりなき対話」を楽しむことが可能となります。空白とはまさに、私たちの想像力が試される、重要な文学の要素であると言えるのです。

＊16　結城佐織「読解における自文化の影響：川上弘美『神様』を参考に」『語学教育研究論叢（第31号）』二〇一四年、二八五～三〇二頁。

＊17　石原千秋『大学受験のための小説講義』筑摩書房、二〇〇二年、一九頁。

15 比喩

比喩は、私たちの言葉を美しくします。ありきたりな文章に、比喩というスパイスをほんの少しふりかけるだけで、言葉はたちまちのうちに魅力的な色彩を帯びると言っても良いでしょう。しかしながら、比喩はただ、文章を飾りたてるだけのものではありません。実のところ、比喩は私たちの思考そのものを変えてしまうような、計り知れない力を秘めているのです。この章では、比喩の効果について考えると同時に、文学作品において比喩がどれほど重要な役割を果たしているのかについて見ていきましょう。

◆比喩とは何か？

一言で言えば、比喩とは、何かを説明するときにそれを別の物でたとえて表現する技法のことです。一般的に、「雪のように白い肌」や「まるで硬い石のような飴」のように、「ようだ」「ごとし」「まるで」などといった語を使ってたとえる場合は直喩、一方で「雪の肌」「この飴は硬い石だ」のように、こうした語を使わない場合は隠喩と呼ばれています。

比喩を理解するうえで重要になるのが、「類似性」というポイントです。例えば、「りんごのような頬」という比喩を考えてみてください。この比喩が成立するためには、「りんご」と「頬」がどちらも「赤い」という事実を知っている必要があります。つまり、両者の間には何らかの「類似性」が存在しなければなりません。いわば、比喩とは「似たもの同士を言葉でつなげる方法」なのです。

もちろん、「りんごのような頬」というのは、比喩としては使い古された表現であり、とてもつまらなく聞こえるでしょう。実際、「バラのように美しい人」や「見ろ、人がゴミのようだ！」など、比喩は身近にいくらでもあるので、私たちは比喩という存在に慣れきってしまっています。それでは、文学における比喩とは、私たちが使うありきたりな比喩と、どのように異なっているのでしょうか？

◆文学的比喩

前にも述べたように、比喩とは何らかの「類似性」に基づいて、ある物を別の物でたとえる表現技法です。ところが、作家が使う比喩表現においては、このルールが当てはまらないことが少なくありません。むしろ、常識では決して考えられないような言葉の結びつきが、作品に数多く登場しているのです。一例として、村上春樹が用いた比喩に注目してみましょう。

アパートに戻り、食事をした。僕が風呂に入ってビールを一本飲み終える頃に三匹の鱒(ます)が焼き上げられた。そしてその脇に缶詰のアスパラガスと巨大なクレソンが添えられた。鱒には懐しい味がした。夏の山道のような味だ。*1

文学者の澤田真紀は、「夏の山道のような味」という表現が、一般的な比喩の概念をくつがえす、画期的な表現技法であることを指摘しました。*2 ある食べ物の味を表現するとき、私たちは普通、別の食べ物の味で説明しようとするかもしれません。「マンゴーのような味」や「腐ったたまごのような味」といった具合です。しかしながら、村上はここで「夏の山道のような味」という、食べ物とはまったくかけ離れたモノを比喩として使っていることが分かります。つまり、常識的にはありえない比喩を用いることで、主人公が感じた味の感覚を、より適切に描こうとしているのです。

それでは、「夏の山道のような味」とはいったい、どのような味なのでしょうか？　澤田は、「夏の山道」という言葉から、「生命力にあふれた自然の力強さのようなもの」が連想できると指摘しています。[*3] 私たちは「夏の山道」という言葉を読むことによって、躍動感に満ちた自然を思いうかべ、それを「鱒の味」に重ね合わせることで、あたかも鱒という魚から自然の力を味わっているような感触を感じとることができるのです。

こうした豊かな広がりを持つ比喩技法は、ほかの文学作品の中にも見いだすことができます。夏目漱石の『吾輩は猫である』[*4]の一節を読んでみましょう。場面は、語り手である猫の主人である苦沙味先生が、あばたの顔になったいきさつを述べるところです。

その頃は小供の事で今のように色気もなにもなかったものだから、痒(かゆ)い痒いと云(い)いな

＊1　村上春樹『村上春樹全作品1979〜1989（第1巻）』講談社、二〇一〇年、一八五頁。
＊2　澤田真紀「村上春樹の比喩表現の研究」『日本文学（99巻）』二〇〇三年、六八頁。
＊3　同上、同頁。
＊4　天然痘にかかったあと、顔に残るちいさなくぼみ。

がら無暗（むやみ）に顔中引き掻（か）いたのだそうだ。ちょうど噴火山が破裂してラヴァ[*5]が顔の上を流れたようなもので、親が生んでくれた顔を台なしにしてしまった。[*6]

語り手である猫が表現しているのは、あくまでも苦沙味先生の顔にすぎません。しかし、「噴火山が破裂してラヴァ（マグマ）が顔の上を流れたような」という比喩によって、読者の脳裏には「火口から流れるドロドロの熱い溶岩」というイメージが、あざやかに広がることになります。めらめらと燃えるマグマという視覚的な感覚、焼けつくような熱さといった触覚的な感覚、さらには大地を震動させる地響きといった聴覚的な感覚まで、ありとあらゆる感覚が私たちの思考を刺激するのです。こうしたスケールの大きな比喩表現は、まさに夏目漱石だからこそ書ける、創造的な比喩であると言えるでしょう。

一方、村上春樹の作品には、「比喩の暴走」とも言うべき表現も見られるのが特徴的です。いわば、本来脇役であったはずの比喩が脱線し始め、ついには独自の世界を構築してしまっているのです。『スプートニクの恋人』の書き出しを読んでみましょう。

22歳の春にすみれは生まれて初めて恋に落ちた。広大な平原をまっすぐ突き進む竜巻のような激しい恋だった。それは行く手のかたちあるものを残らずなぎ倒し、片端から空に巻き上げ、理不尽に引きちぎり、完膚(かんぷ)なきまでに叩きつぶした。そして勢いをひとつまみもゆるめることなく大洋を吹きわたり、アンコールワットを無慈悲に崩し、インドの森を気の毒な一群の虎ごと熱で焼きつくし、ペルシャの砂漠の砂嵐となってどこかのエキゾチックな城塞(じょうさい)都市をまるごとひとつ砂に埋もれさせてしまった。みごとに記念碑的な恋だった。[*7]

ここでは、恋の激しさの比喩として用いられている「竜巻」という言葉が暴走し、それが「アンコールワット」を破壊したり、「インドの森」を焼きつくしたりしています。このように、比喩が独自の歩みを見せることで、読者は物語に壮大な広がりを感じ、物語の世界へとより深く足を踏み入れていくことができるのです。[*8]

＊5　火山から出る溶岩のこと。
＊6　夏目漱石『新潮日本文学3　夏目漱石集』新潮社、一九八〇年、一八二頁。
＊7　村上春樹『スプートニクの恋人』講談社、二〇一〇年、七頁
＊8　澤田、前掲書、七四頁。

こうした文学的比喩の特色について、言語学者の佐藤信夫[*9]も次のように述べています。

たとえば「白昼のような夜」とか「死のような生」というような直喩さえ、ことばとして言えないことはないのだ。昼と夜、死と生は似ているだろうか。まさか「スッポンのような月」という直喩は考えられそうもないが、しかし可能性としては、常識的に似ても似つかぬふたつのものをつなぐ直喩も、じゅうぶんに成立するのである。[*10]

佐藤がこう指摘するように、文学的な比喩とは、私たちの一般常識によって理解できるようなものではありません。それは作家による新しい表現の発見であり、同時に新しい見方の創造でもあります。こうしたクリエイティブな比喩表現を通して、読者は日常では決して体験できない文学の世界を味わうことができるのです。

◆比喩の連鎖反応

さまざまな比喩を組み合わせると、作品はより一層輝きを増すことがあります。ゲームにおけるコンボのように、組み合わされた比喩は、その効力を倍増させるのです。

例えば、『ちくま評論入門』では、比喩の組み合わせとして「対比的な比喩」「連続的な比喩」「アレゴリー」の三つをとりあげて解説しています。この本がどのような文章を比喩のモデルとしてとりあげ、分析しているのかを見ながら、比喩の持つ効果について考えてみましょう。[*11]

〈1〉対比的な比喩

最初の比喩の組み合わせは、丸山眞男[*12]の『日本の思想』において使われている「対比的な比喩」です。思想家として有名な丸山は、ヨーロッパの社会と日本の社会との違いについて、「ササラ型」と「タコツボ型」という比喩を用いながら次のように論じています。

＊9　言語学者（一九三二～九三）。言葉の「レトリック」に関する研究で有名。ほかにもロラン・バルトやピエール・ギローなどの訳書がある。

＊10　佐藤信夫『レトリック感覚』講談社、一九九二年、八四頁。

＊11　岩間輝生ほか『ちくま評論入門―高校生のための現代思想ベーシック』筑摩書房、二〇一五年、二八～三〇頁。

＊12　政治学者、思想史家（一九一四～九六）。軍国主義時代における日本の指導者の没主体性をするどく指摘し、天皇制国家の無責任構造を批判する新視点を提起して論壇に一大衝撃を与えた。

日本の社会なり文化なりの一つの型というものを非常に図式化して表現してみたいと思います。私はかりに社会と文化の型を二つに分けて考えることとします。一つは妙な言葉でありますが、ササラ型といい、これに対するもう一つの型をタコツボ型とかりに呼んでおきます。ササラというのは、御承知のように、竹の先を細かくいくつにも割ったものです。手のひらでいえばこういうふうに元のところが共通していて、そこから指が分かれて出ている、そういう型の文化をササラ型というわけであります。タコツボっていうのは文字通りそれぞれ孤立したタコツボが並列している型であります。近代日本の学問とか文化とか、あるいはいろいろな社会の組織形態というものがササラ型でなくてタコツボ型であるということが、さきほど言ったイメージの巨大な役割ということと関係してくるんじゃないかと思うわけです。[*13]

ここで、比喩が対比の関係で用いられていることに注目しましょう。筆者はヨーロッパ社会を「ササラ型」というイメージでたとえている一方、日本社会を「タコツボ型」という言葉で形容することで、二つの比喩をペアとして使っています。それぞれの社会を分かりやすい比喩で対比させることにより、両者の違いが鮮明にうかび上がってくるよう工夫を加えているのです。

〈2〉連続的な比喩

次の組み合わせは、作家の武田泰淳（たいじゅん）[*14]が用いた「連続的な比喩」です。武田は、日本人が敗戦によって受けた計り知れない衝撃を、一連の比喩を用いて次のように描写しました。

名誉ある、犠牲的な行為と信じていたものが、実は他者を認めない罪悪の行動にすぎなかったこと。この種の反省をしいられるのは、私たちにとって実につらいことだった。こうだと思いつめていた価値が、がらりと逆転し下落すれば、だれだって驚き迷わずにはいられない。軍部の宣伝を、まるのみに信じていなかった者でも、その命令にしたがっていれば、どうしても同じ価値判断におちいっていたわけだ。「日本帝国」と呼ぶ竈（かまど）がこわれて、その中で燃えさかっていた狭くるしい火焔（かえん）の熱が消えるとともに、「人間世

*13 丸山眞男『日本の思想』岩波書店、一九六一年、一二九頁。
*14 小説家（一九一二〜七六）。中国で戦場を体験、上海で敗戦を迎える。『ひかりごけ』『富士』など、思想的重量感を持った作品を発表。

界」と呼ぶ広大な嵐が、私たちの全身を吹きさらしにしたのである。*15

ここで、日本人の価値観の崩壊が「かまど」「火焔の熱」「広大な嵐」といった一連の比喩で描かれていることに注目してください。「日本帝国」という「かまど」が敗戦によって壊れたことで、日本人の心にあった「日本＝正義」という「火焔の熱」は消滅し、彼らは新しい世界の「広大な嵐」に直面しなければならなくなります。武田はこうした、互いに関連しあう比喩を連続して用いることで、一つの物語を紡ぎ、日本人が直面した精神的な変化を読者の心に深く印象づけようとしたのです。

〈3〉アレゴリー

アレゴリーとは、たとえ話を物語のように肉付けし、作品の中で比喩として用いる表現形式のことを指します。例えば、ドイツ文学者の丘沢静也は、私たち現代人が「オリジナル」にこだわり過ぎていると批判し、アレゴリーを用いながら論じています。

テキスト至上主義からちょっと距離をとれば、個性とかオリジナリティは些細なことに思えてくる。森のなかでは、村人たちが歩いているうちに、踏みしめられて自然に小道ができる。用を足すために、あまり遠回りにならないルートで、大きな木のあるところや、枝が大きく張り出したり、地面に根の背中が露出しているところは迂回し、草に足を取られない歩きやすいところを、くり返し歩いているうちに、自然に道ができる。最初に誰が歩いたのか、道の曲がり方が独自のものであるか、などは問題にならない。[*16]

山や森の中にある道は、そもそも元からあったものではありません。過去にさまざまな人間たちが歩いていくにつれて、自然に道ができるものなのです。そうであれば、最初に道を作ったのは誰か、ということは重要な問題ではないでしょう。また、私たちは言葉を使うとき、いちいち『広辞苑』を開いて一つひとつの単語の出典を調べようとはしません。言葉というのは誰かが一人で作ったものではなく、人々の営みの中で自然に生まれたものだからです。

＊15 武田泰淳「限界状況における人間」『滅亡について』(岩波書店、一九九二年)所収、六一頁。
＊16 丘沢静也『マンネリズムのすすめ』平凡社、一九九九年、七六頁。

同じように、文学作品のテキスト（原文）も、作者一人の手によるだけのものではないでしょう。編集者や校正者の手が加わったり、ときには読者の手が加わったりして、ようやく完成します。丘沢はアレゴリーを通して、私たちがオリジナルにこだわりすぎる必要はないことを訴えかけているのです。

◆文学における比喩の力

ここまで見てきたように、ユニークな比喩表現は、イメージを大きく広げ、語り手や登場人物の心情をより適切に読者へ伝えるうえで、きわめて貴重な役割を果たします。しかしながら、比喩は単に読者の心に訴えかけるためだけに使われるのではありません。比喩は、私たちの価値観を変化させることさえあるのです。ここでは、そうした重要な効果を持つ二つの比喩を見てみましょう。

〈1〉新しい認識を創造する

三島由紀夫の小説『金閣寺』には、主人公の友人である柏木が、美しい京都の景色を地獄にたとえている場面が登場します。

門のところでわれわれはふりかえり、もう一度、保津川と嵐山の若葉の景色をながめた。対岸には小滝が落ちていた。

「美しい景色は地獄だね」と又柏木が言った。

どうやら柏木のこの言い方は、私には当てずっぽうに思われた。が、私も亦、彼に倣って、その景色を地獄のつもりで眺めようと試みた。この努力は徒ではなかった。若葉に包まれた静かな何気ない目前の風景にも、地獄が揺曳していたのである。地獄は、昼も夜も、いつどこにでも、思うがまま欲するがままに現われるらしかった。われわれが随意に呼ぶところに、すぐそこに存在するらしかった。[*17]

「美しい景色」と「地獄」という二つの言葉は、まったく相反するものであり、通常比喩としては成り立ちません。しかしながら、常識では考えられないこうした言葉の結びつきが作品の中で生まれることによって、読者はそこに何らかの意味を見いだそうと考えるようになるのです。

*17　三島由紀夫『金閣寺』新潮社、二〇一五年、一五一頁。

実際、私たちが美しいと感じる景色について、じっくりと考えてみてください。そうした景色を形作っている草花は、つねに死と隣り合わせにあります。こんなにも美しい存在が、いつかは死に絶えなければならないという事実を知るとき、美しい景色はたちまち地獄のように見えるかもしれません。柏木は、美しい景色の後ろにあるこうした「死」を感じとっていたのです。このように、『金閣寺』で描かれている比喩は、世界に対する私たちの認識を大きく揺さぶる効果を生んでいると言えるでしょう。

〈2〉抵抗のための比喩

比喩はときとして、権力の圧力に抵抗する手段として使われることがあります。国家による言論の弾圧に対抗するためには、たくみに国家の検閲をかいくぐっていかなければなりません。こうした困難を克服するために、作家は比喩という強力な武器を持ち出すことがあるのです。一例として、坂口安吾[*18]の『ラムネ氏のこと』を考察してみましょう。彼はこの随筆の中で、布教のために江戸時代の日本へ渡来した宣教師たちが、「アモール」(愛)というラテン語をどのように日本語に翻訳しようとしたか、そのいきさつを描写しています。

今から三百何十年前の話であるが、切支丹（キリシタン）が渡来のとき、来朝の伴天連（バテレン）[*19]達は日本語を勉強したり、日本人に外国語を教えたりする必要があった。［中略］その時、「愛」という字の翻訳に、彼等はほとほと困却（こんきゃく）した。［中略］西洋一般の思想から言えば、愛は喜怒哀楽ともに生き生きとして、恐らく生存というものに最も激しく裏打ちされているべきものだ。しかるに、日本の愛ということばの中には、明るく清らかなものがない。

愛はただちに不義であり、よこしまなもの、むしろ死によって裏打ちされている。

そこで伴天連は困却した。そうして、日本語の愛には西洋の愛撫（あいぶ）の意をあて、恋には、邪悪な欲望という説明を与えた。さて、アモール（ラヴ）に相当する日本語として、「御大切」という単語をあみだしたのである。けだし、愛ということばのうちに清らかなものがないとすれば、この発明もまた、やむを得ないことではあった。

御大切とは、大切に思う、という意味なのである。余は汝（なんじ）を愛す、という西洋の意味を、余は汝を大切に思う、という日本語で訳したわけだ。

＊18　小説家（一九〇六～五五）。戦中のエッセイ『日本文化私観』で注目された。戦後は随筆『堕落論』や小説『白痴』で混乱期の人々の心をとらえ一躍流行作家となった。

＊19　キリスト教の布教のために日本に渡った宣教師のこと。

神の愛を「デウスの御大切」、基督の愛を「キリシトの御大切」というふうに言った。

私はしかし、昔話をするつもりではないのである。今日もなお、恋といえば、邪悪な欲望、不義と見る考えが生きてはいないかと考える。昔話として笑ってすませるほど無邪気ではあり得ない。


愛に邪悪しかなかった時代に人間の文学がなかったのは当然だ。勧善懲悪という公式から人間が現れてくるはずがない。しかし、そういう時代にも、ともかく人間の立場から不当な公式に反抗を試みた文学はあったが、それは戯作者[20]という名でよばれた。

戯作者のすべてがそのような人ではないが、小数の戯作者にそのような人もあった。[21]

見たところ、作者は「愛」という概念を「邪悪」としか見なさない、江戸幕府の姿勢を批判しているだけのようにも思えます。しかしながら、坂口が「昔話をするつもりではない」と述べているように、この文章は実のところ、当時の日本政府を批判するために書かれたものだったのです。実際、『ラムネ氏のこと』が執筆されたのは、日中戦争が勃発し、国家によって言論の自由が奪われていた時代でした。坂口はこうした状況を、密かに江戸時代と重ね合わせていたのです。[22] この比喩を図式で示すと、図1のような形になります。

図1:『ラムネ氏のこと』における比喩

◎たとえられるもの

〈メッセージ〉

日本政府による言論弾圧
政府への批判を一切認めない時代

↑ ↓

◎たとえるもの

〈物語の内容〉

「愛は邪悪なものである」という
公式しか認めない江戸幕府
「人間の文学」を書くことが許されない時代

こうした比喩の構造を踏まえたうえで、坂口は自分自身を、江戸時代に活躍した「戯作者」に投影させていることが分かります。戯作者たちは、かつて男女間の恋愛をテーマにした戯作作品を通して、江戸幕府の政治を間接的に批判していました。坂口は、こうした戯作者たちの生き様を高く評価することで、言いたいことも言えず、人間性を抑圧していた昭和初期の国家体制を暗に批判しようとしたと言えるでしょう。このように比喩は、時として私たちの常識をゆり動かし、国家権力に対抗できるほどのすぐれた力を秘めているのです。

＊20 戯作をなりわいとする人。主に江戸後期の通俗作家のことを指す。
＊21 坂口安吾『白痴・青鬼の褌を洗う女』講談社、一九八九年、一二〜一三頁。
＊22 岩間輝生ほか、前掲書、三〇頁。

16 象徴

日の丸が日本を、ハトが平和を、そしてドクロが死を表すように、象徴は日常生活のいたるところに現れています。岩波国語辞典（第八版）によると、象徴とは「主に抽象的なものを表すのに役立つ、それと関係が深いまたはそれを連想させやすい、具体的なもの」を指す言葉です。

ここに出てくる「抽象的」という言葉は、「目に見えない」という言葉に置き換えられるかもしれません。例えば、先に挙げた「日本」「平和」「死」といった概念は、私たちが直接目で見ることができないものです。実際、「日本」や「死」といったものは、言葉として存在しているにすぎません。こうした抽象的な概念をなんとかして分かりやすく置きかえるために、人類は象徴という手法を使ったと言えるでしょう。ドイツの哲学者エルンスト・カッシーラー[*1]が人類を「象徴的動物」[*2]と定義しているように、象徴という手法を用いて抽象的なものを表現しようとする試みは、人間固有の性質と深く関わっているのです。

象徴が人間によって作られたものであるとすれば、「ドクロ」と「死」の結びつきは、社会が勝手に作り上げたものにすぎないと言えます。これはつまり、「死」という概念をもっと適切に表すことのできるシンボルが、ほかにも当然存在するということにほかなりません。実際、文学作品には、さまざまなシンボルが登場しています。作家は、斬新なシンボルを描くことで、物語のテーマをよりいっそう効果的に伝えようとしているのです。

◆『野火』にあらわれる文明の象徴

一例として、大岡昇平の『野火』を考えてみましょう。『野火』の舞台は、太平洋戦争末期のフィリピンです。兵士である田村は、ジャングルをさまよっている途中、小さな畑を発見します。飢えに苦しんでいた彼は、その畑で取れる芋や豆をたらふく食べることがで

＊1　ドイツのユダヤ人哲学者（一八七四～一九四五）。認識論的研究から出発したが、次第に人間の象徴形式の研究へ移り、宗教、神話など多方面の問題を象徴活動の観点から包括的に把握し、独自の業績を残した。主著に『実体概念と関数概念』など。

＊2　E・カッシーラー『人間―シンボルを操るもの』宮城音弥訳、岩波書店、一九九七年、四五頁。

きました。そこはまさに楽園といえる場所だったのです。しかし、彼はやがてマッチがどこにもないことに気づきます。マッチがなければ、火で食べ物を調理することができません。田村は食べ物をナマで食べなければならないことに不満を感じ、あえてその「楽園」を捨てることを決意しました。ところが、彼の火に対する欲求は、悲劇的な事件をもたらすことになります。あるフィリピン人の女性が持っていたマッチを奪おうとして、彼女を射殺してしまったのです。

> 「パイゲ・コ・ポスポロ（燐寸をくれ）」と私はいった。
> 　女は叫んだ。こういう叫声を日本語は「悲鳴」と概称しているが、あまり正確ではない。それは凡そ「悲」などという人間的感情とは縁のない、獣の声であった。［中略］女の顔は歪み、なおもきれぎれに叫びながら、眼は私の顔から離れなかった。私の衝動は怒りであった。
> 　私は射った。弾は女の胸にあたったらしい。空色の薄紗の着物に血班が急に拡がり、女は胸に右手をあて、奇妙な回転をして、前に倒れた。[*3]

ここで注目したいのは、主人公が追い求める「火」という存在です。もともと、「火」は主人公にとって、生きるために欠かせないものではありませんでした。事実、彼はそれまでたくさんの芋や豆をナマで食べています。いわば、「火」は生活を豊かにすることのできる、一種のぜいたく品にすぎなかったのです。しかしながら、主人公はあえてこの「火」にこだわり続けた結果、殺人という罪を犯してしまいました。

この物語における「火」という存在は、私たちの生活を豊かにするもの、すなわち「文明」[*4]を象徴していると言えるかもしれません。「火」は古くから、人類が持つ技術の頂点と見なされてきました。ギリシャ神話では、知恵者プロメテウスが火を神々から盗み、地上にもたらしたことによって、人間は文明を築き、野蛮な生活から抜け出すことができたと説明されています。さらに興味深いことに、この神話では、人類が「火」を獲得したことへの罰として、神々はパンドラという女性を地上に遣わし、人類を不幸に陥れました。つまり、人類は文明化の代償として、不幸を生み出してしまったのです。

＊3　大岡昇平『野火』新潮社、二〇一四年、九七頁。
＊4　岩波国語辞典（第八版）によれば、文明とは「世の中が進み、精神的・物質的に生活が豊かである状態」のことを指します。

『野火』においても、主人公は「火」を手に入れようとした結果、殺人を犯しています。こうしたプロセスは、ギリシャ神話のストーリーと非常によく重なっていると言えるかもしれません。このように、「火」を「文明」の象徴として解釈することで、読者は「文明が持つ光と闇の両面性」というテーマを物語に見いだすことができるのです。

それでは、作者はどのようにして「火」を「文明」に結びつけたのでしょうか？　この二つをよく見てみると、両者の結びつきが「提喩（ていゆ）」という修辞技法[*5]によって成り立っていることが分かります。提喩とは、全体を部分で、もしくは部分を全体で言い表す比喩のことです。例えば、「花見に行く」という文を考えてみましょう。ここにおける「花」とは、花の一種である「桜」のことを指しています。ここで提喩は、全体（花）で部分（桜）を指す方法として用いられています。一方、「ご飯食べに行かない？」というフレーズはどうでしょうか。この場合の「ご飯」とは、白米のことではなく、ランチやディナーを意味しています。つまり、ここでは逆に、提喩が部分（白飯）で全体（ランチ）を表す方法として機能しているのです。そうであれば、『野火』の場合も、「火」という部分で「文明」という全体を示すという、提喩のテクニックを使っていることが理解できるでしょう。

◆『破戒』における勇気の象徴

このように、文学作品において、象徴は比喩によって作り出される場合が少なくありません。例えば、島崎藤村[*6]の『破戒』における象徴を見てみましょう。『破戒』は、被差別部落[*7]出身の主人公丑松(うしまつ)の物語です。小学校の教師であった丑松は、自分の素性が周りにバレることを恐れながら暮らしていました。そんな彼のもとに、政治家の猪子蓮太郎が殺されたという知らせが届きます。猪子は丑松と同じ被差別部落の生まれでしたが、それを恥じることなく、一生懸命に社会の不正と戦っていました。その結果、敵対者に惨殺されてしまったのです。

ああ、丑松が駆け付けた時は、もう間に合わなかった。丑松ばかりでは無い、弁護士

＊5　思想や感情を効果的に相手に伝えるための言葉の術。
＊6　小説家（一八七二～一九四三）。一九〇五年、一家を挙げて上京、翌年『破戒』を自費出版し、最初の本格的な自然主義の小説として激賞され、第一流の作家としての地位を得た。『家』は自然主義の到達した頂点とされる一方、『新生』は自らの人生の危機を描いて論議を招いた。
＊7　江戸時代の身分制度下で一番下のグループと見なされた人々が住む村。明治時代の解放令によって法的な差別はなくなったが、社会的な差別や偏見はなくならなかった。

ですら間に合わなかったと言う。聞いて見ると、蓮太郎は一足先へ帰ると言って外套を着て出て行く、弁護士は残って後始末をしていたとやら。傷というは石か何かで烈しく撃たれたもの。ただでさえ病弱な身、まして疲れた後——思うに、何の抵抗も出来なかったらしい。血は雪の上を流れていた。*8

ここで、猪子の死が血のイメージで覆われていることに注意してください。猪子は殺されるリスクがあったのにもかかわらず、勇敢にも社会の不正を糾弾し、無残にも敵対者の刃にたおれることとなりました。彼の勇気は、ここで血という目に見える形で象徴されています。雪の上に流れる血を見た丑松は、そこから真の勇気とは何かについて学びます。それまで丑松は、社会から見捨てられることを恐れ、自分の素性をひた隠しにしてきました。しかし、猪子の流した血から勇気を得て、社会に真実を告白することができたのです。『破戒』における勇気の象徴としての血のイメージは、『野火』で使われた提喩法ではなく、換喩法という修辞技法によって成り立っています。換喩とは、ある物を言い表すために、それと深い関係のある別の物で置き換える修辞技法のことです。例えば、「お風呂が沸いたよ」という一文に注目してみましょう。「風呂が沸く」というフレーズは、風呂という入れ物が熱くなるのではなく、風呂の中にある水が温められてお湯になったことを意味しています。

一方、「筆を執る」はどうでしょうか。これは、筆を執るという時間的に前の行為を述べることで、その後の書くという行為を指し示す換喩法です。前者の換喩が空間的な結びつきによって成り立っているとするなら、後者は時間的な結びつきによって成り立つ換喩であると言えるでしょう。『破戒』の場合、血が勇気を象徴しているのは、血と勇気が時間的な結びつきを有しているからです。勇気を示したことによって、血が流されるのですから、原因と結果の関係と言っても良いかもしれません。

◆ユニークな象徴は絶えず生まれ続ける

こうした例から分かるのは、作品で用いられる象徴は、作者によってさまざまであるということです。どんなモノを象徴として使うかは、その作者の個性によって大きく変わってくると言えるでしょう。

＊8　島崎藤村『破戒』新潮社、二〇〇五年、三五五頁。

先ほど述べたように、今の社会で広まっているシンボルは、決して一番ふさわしいものであるわけではありません。現に、「ドクロ」以外にも「砂時計」や「白い靴[*9]」など、「死」の象徴として機能しているものはこの世界にたくさんあります。「死」という概念がそもそも形容しにくいものである以上、「ドクロ」よりもさらに正確に「死」の本質を突くような言葉が、つねにどこかに潜んでいると言えるのではないでしょうか。

そう考えれば、すぐれた文学作品の中に、読者をハッとさせるような象徴が使われていることにもうなずけます。そうした象徴を通して、作者は世界の真相をよりいっそう正確に表現しようとしているのです。

◆『金閣寺』における美の象徴

三島由紀夫の『金閣寺』も、そうした文学作品の一つに挙げられるかもしれません。『金閣寺』は「美」の本質をテーマにした小説です。主人公は、とらえどころのない金閣寺の「美」の正体を突きとめようとしている途中、柏木という人物に出会います。彼が演奏する尺八の音色を聞いているうちに、主人公は「音楽」の中にこそ、「美」の本質があるのではないかと想像をふくらませていきます。

それにしても音楽の美とは何とふしぎなものだ！　吹奏者が成就するその短い美は、一定の時間を純粋な持続に変え、確実に繰り返されず、蜉蝣のような短命の生物をさながら、生命そのものの完全な抽象であり、創造である。［中略］美の無益さ、美がわが体内をとおりすぎて跡形もないこと、それが絶対に何ものをも変えぬこと、……柏木の愛したのはそれだったのだ。[*10]

音楽は、形としては何も残りません。ということは、美の正体とはそうした「はかなさ」にあるのではないでしょうか。音楽は私たちの生活に何の痕跡も残さず、一瞬のうちに消え去ります。同じように、「美」も実生活から遊離した存在であるという点にその本質があるのではないか、と作品は読者に問いかけているのです。

＊9　「砂時計」はヨーロッパで、「白い靴」は中国で使われる「死」のシンボル。
＊10　三島由紀夫『金閣寺』新潮社、二〇一五年、一七七～一七八頁。

『金閣寺』では、ほかにも「美」を形容するものとして「虫歯」というシンボルが登場しています。

美というものは、そうだ、何と云ったらいいか、虫歯のようなものなんだ。それは舌にさわり、引っかかり、痛み、自分の存在を主張する。とうとう痛みにたえられなくなって、歯医者に抜いてもらう。血まみれの小さな茶いろの汚れた歯を自分の掌にのせてみて、人はこう言わないだろうか。『これか？　こんなものだったのか？　俺に痛みを与え、俺にたえずその存在を思いわずらわせ、そうして俺の内部に頑固に根を張っていたものは、今では死んだ物質にすぎぬ。しかしあれとこれとは本当に同じものだろうか？［中略］俺から抜きとられて俺の掌の上にあるこいつは、これは絶対に別物だ。断じてあれじゃあない*11』

ここで柏木が、「美」の神秘的な構造を「虫歯」という言葉で表現していることに注目しましょう。美しい絵画は、私たちを魅了し、美の虜にします。しかしながら、こうした美しい絵画を構成しているのは、結局のところ、画用紙と着色料のかたまりにすぎません。

同じように、虫歯はずきずきと痛む恐ろしい現象ですが、その実体はといえば、「小さな茶いろの汚れた歯」でしかないのです。このことを踏まえるなら、強烈な痛みを人間にもたらす一方、それ自身はちっぽけなモノにすぎないという虫歯の構造が、「美」の本質にも当てはまると言えるのではないでしょうか。

タイトルにも書かれているように、物語に登場するさまざまな美のシンボルの中で主人公を一番惹きつけるのは「金閣寺」です。彼は、暗闇の中におぼろ月のごとく浮きあがる金閣寺の姿に、「美」の本質をはっきりととらえています。

美が金閣そのものであるのか、それとも美は金閣を包むこの虚無の夜と等質なものなのかわからなかった。おそらく美はそのどちらでもあった。細部でもあり全体でもあり、金閣でもあり金閣を包む夜でもあった。そう思うことで、かつて私を悩ませた金閣の美の不可解は、半ば解けるような気がした。[中略]その細部の美を点検すれば、美は細部で終り細部で完結することは決してなく、どの一部にも次の美の予兆が含まれていたか

＊11　同上、一八三〜一八四頁。

らだ。［中略］そして予兆は予兆につながり、一つ一つのここには存在しない美の予兆が、いわば金閣の主題をなした。そうした予兆は、虚無の兆（きざし）だったのである。虚無がこの美の構造だったのだ[*12]。

ここで主人公は、金閣寺の美しさの正体が「虚無」であると指摘しています。「書き出し」の章（25P）でも述べたように、主人公は「金閣寺は美しい」という思いを父親の言葉を通して育んできました。つまり、現実の金閣寺をまったく見ていなかったのです。そうであれば、彼が抱いてきた金閣寺の美しさとは、実体のないもの、いわば幻想にすぎません。

そのことに気づかなかった主人公は、なんとかして金閣寺の美しさを手に入れようと、あらゆることを試みてきました。しかしながら、もしも「美」の本質に実体がないのであれば、それは誰にも所有できないものであり、彼は永遠にそれを手に入れることはできません。主人公は、残された道として、金閣寺を燃やすことを選びます。美のシンボルである金閣寺を燃やすという儀式を通して、彼は「美」と決別し、自分の人生を生き直そうとしたのです。

このように、すぐれた文学作品には、ユニークなシンボルが用いられていることが少なくありません。象徴とは、この世界の本質をどうにかして表現したいと願う作家の、終わりのない答え探しなのです。

＊12 同上、三二一〜三二二頁。

17 ミメーシスとディエゲーシス

おもしろい作品の条件とは何でしょうか？　おそらく、この問いに対する答えは人によってさまざまでしょう。ある人は、キャラクターが持つ強い個性に惹かれているのかもしれませんし、またある人は、作者が巧妙にしかける、読者の予想を裏切るような展開に興味を抱いているのかもしれません。しかしながら、思想家のプラトン[*1]やアリストテレス[*2]によれば、おもしろい物語の条件とは、ずばり「ミメーシス」と「ディエゲーシス」の配分にあります。「ミメーシス」と「ディエゲーシス」……何やら謎めいた言葉ですが、いったいこれらはどういう意味なのでしょうか？

◆ミメーシスとディエゲーシスとは

「ミメーシス」とは、ギリシャ語で「模倣」という意味であり、もともと観衆の目の前で何かを演じる行為を指していました。文学においては、「出来事をありのままに示したり、登場人物の言葉や動作を描写したりしている部分」[*3]が「ミメーシス」に当てはまります。例えば、村田沙耶香の小説『コンビニ人間』における、次の文章を読んでみてください。語り手である主人公の「私」（古倉恵子）は、すでに一〇年以上コンビニで働いている、「コンビニ店員のプロ」です。

チャリ、という微かな小銭の音に反応して振り向き、レジのほうへと視線をやる。掌やポケットの中で小銭を鳴らしている人は、煙草か新聞をさっと買って帰ろうとしてい

＊1 ギリシャの思想家（前四二七～前三四七）。彼の功績の第一は学問における方法の重要性の認識とその確立であり、第二はこの方法を基礎とした形而上学と倫理学の確立である。著書に『ソクラテスの弁明』『国家』など。

＊2 ギリシャの思想家（前三八四～前三二二）。プラトンの弟子。プラトンがイデアを超越的実在と説いたのに対し、それを現実在に形相として内在するものとした。主著に『形而上学』『ニコマコス倫理学』『詩学』など。

＊3 ピーター・バリー『文学理論講義―新しいスタンダード』高橋和久監訳、ミネルヴァ書房、二〇一四年、二七五頁。

る人が多いので、お金の音には敏感だ。案の定、缶コーヒーを片手に持ち、もう片方の手をポケットに突っ込んだままレジに近付いている男性がいた。素早く店内を移動してレジカウンターの中に身体をすべりこませ、客を待たせないように中に立って待機する。

「いらっしゃいませ、おはようございます！」

軽い会釈をして、男性客が差し出した缶コーヒーを受け取る。

「あー、あと煙草の5番を一つ」

「かしこまりました」

すばやくマルボロライトメンソールを抜き取り、レジでスキャンする。

「年齢確認のタッチをお願いします」

画面をタッチしながら、男性の目線がファーストフードが並んだショーケースにすっと移ったのを見て、指の動きを止める。「何かおとりしますか？」と声をかけてもいいが、客が買うかどうか悩んでいるように見えるときは、一歩引いて待つことにしている。

「それと、アメリカンドッグ」

「かしこまりました。ありがとうございます」

手をアルコールで消毒し、ケースをあけてアメリカンドッグを包む。

「冷たいお飲み物と、温かいものは分けて袋にお入れしますか？」
「ああ、いい、いい。一緒に入れて」[*4]

ここでは、登場人物の会話や動作がそのまま克明に描写されています。「チャリ、という微かな小銭の音」や、主人公が「すばやくマルボロライトメンソールを抜き取」る様子など、私たちはあたかもその場にいるかのように場面を想像することができるのです。したがって、このような描写はまさに、ミメーシス的であると言えるでしょう。

一方、「ディエゲーシス」とは、ギリシャ語で「語る」という意味を表し、「作品において、語り手が前面に登場し、物語の出来事や登場人物の心理などについて解説している部分」[*5]を指します。最も典型的なのは、語り手によってストーリーが要約されているパートでしょう。例えば、「郊外の住宅地で育った私は、普通の家に生まれ、普通に愛されて育っ

＊4　村田沙耶香『コンビニ人間』文藝春秋、二〇一八年、八～九頁。
＊5　廣野由美子『批評理論入門―「フランケンシュタイン」解剖講義』中央公論新社、二〇〇五年、四八頁。

た」[*6]という一節について考えてみてください。語り手はここで子供時代の記憶を要約しているので、私たち読者は語り手の過去を直接見ることはできません。主人公が具体的にどのような幼少期をおくっていたのかを目撃することはできず、語り手が語る声に耳を傾けることしかできないのです。このように、場面を詳細に書けば書くほど、文章はミメーシス的になりますし、逆に要約的に書けば書くほど、文章はディエゲーシス的になると言えるでしょう。[*7]

◆ミメーシスの長所と短所

ミメーシスのメリットとは何でしょうか？　最初に、「場面に臨場感を生み出す」という利点が挙げられるでしょう。前にも述べたように、ミメーシス的な文章は、物語の出来事が目の前で起こっているかのような、リアルな印象を読者に与えることができます。あたかも映画のワンシーンのように、鮮明な映像を残してくれるのです。

また、ミメーシス的な文章では、語り手が現在進行形の形で、出来事をゆっくりと描写していくので、読者は次に何が起こるかを予測することができません。その結果、物語にはサスペンスが生まれることになります。同じく『コンビニ人間』から次の場面を読んでみましょう。幼稚園児だった主人公が、公園で死んだ小鳥を見つけるシーンです。


「どうしようか……?」一人の女の子が言うのと同時に、私は素早く小鳥を掌の上に乗せて、ベンチで雑談している母の所へ持って行った。

「どうしたの、恵子?　ああ、小鳥さん……!　どこから飛んできたんだろう……かわいそうだね。お墓作ってあげようか」

私の頭を撫でて優しく言った母に、私は、「これ、食べよう」と言った。

「え?」

「お父さん、焼き鳥好きだから、今日、これを焼いて食べよう」

良く聞こえなかったのだろうかと、はっきりした発音で繰り返すと、母はぎょっとし、隣にいた他の子のお母さんも驚いたのか、目と鼻の穴と口が一斉にがばりと開いた。変な顔だったので笑いそうになったが、その人が私の手元を凝視しているのを見て、そう

＊6　村田、前掲書、一一頁。
＊7　橋下陽介『物語論　基礎と応用』講談社、二〇一七年、八六頁。

か、一羽じゃ足りないなと思った。

「もっととってきたほうがいい?」

近くで二、三羽並んで歩いている雀にちらりと視線をやると、やっと我に返った母が、

「恵子!」ととがめるような声で、必死に叫んだ。[*8]

もちろんこのエピソードは、ディエゲーシス的に要約することもできるでしょう。「私は死んだ小鳥を見つけると、母親の所へ持って行って、これを食べようと言った」というような感じです。しかしながら、それでは主人公の異常な発言を、読者は驚きをもって聞くことができません。一方、ミメーシス的な文章は、「主人公が次に何をするのか」という謎を最後まで秘密にしておくことが可能であり、結果として読者の衝撃はより一層強いものとなります。私たちは一連の動きを少しずつ目で追うことしかできないからこそ、物語からミステリーやスリルを味わうことができるのです。

こうして見ると、ミメーシスは文学作品においてとりわけ重要な要素であることが分かります。ミメーシスの手法は場面を生き生きとしたものとし、物語にリアリティーを増し加えるうえで不可欠な部分であると言えるのです。

しかしながら、一見良いことづくしに思えるミメーシスにもデメリットがあります。そもそも、一つのシーンが物語の中で永遠に続くことはめったにありません。先に挙げた例では、主人公は幼稚園時代のシーンをフラッシュバックの形式で描写していますが、もしもこのままミメーシス的な文章を書き続けてしまうと、いつまでたっても次のシーンへ移動することができないでしょう。

物語には、一つのエピソードから次のエピソードの間に、必ず時間的な空白があります。重要な出来事が起こらないこうした空白の部分をだらだらと描写してしまうと、読者はうんざりしてしまうかもしれません。そうでなくとも、会話のシーンというのは何頁にもわたって続くと飽きてしまう性質があるので、ミメーシス的な文章だけで物語を書こうとすることには限界があります。

また、あまりにも場面がクローズアップされてしまうと、読者はいったい何が起こっているのかを理解することが難しくなるかもしれません。絵画を鑑賞するには一定の距離を置かなければならないように、場面を理解するには少し遠くから眺める必要もあるのです。

＊8　村田、前掲書、一二～一三頁。

例として、大江健三郎の小説『死者の奢り』の冒頭を読んでみましょう。

　死者たちは、濃褐色の液に浸って、腕を絡みあい、頭を押しつけあって、ぎっしり浮かび、また半ば沈みかかっている。彼らは淡い褐色の柔軟な皮膚に包まれて、堅固な、馴じみにくい独立感を持ち、おのおの自分の内部に向かって凝縮しながら、しかし執拗に躰をすりつけあっている。彼らの躰は殆ど認めることができないほどかすかに浮腫を持ち、それが彼らの瞼を硬く閉じた顔を豊かにしている。揮発性の臭気が激しく立ちのぼり、閉ざされた部屋の空気を濃密にする。あらゆる音の響きは、粘つく空気にまといつかれて、重おもしくなり、量感に充ちる。

　死者たちは、厚ぼったく重い声で囁きつづけ、それらの数かずの声は交じりあって聞きとりにくい。時どき、ひっそりして、彼らの全てが黙りこみ、それからただちに、ざわめきが回復する。ざわめきは苛立たしい緩慢さで盛上り、低まり、また急にひっそりする。死者たちの一人が、ゆっくり躰を回転させ、肩から液の深みへ沈みこんで行く。硬直した腕だけが暫く液の表面から差出されてい、それから再び彼は静かに浮かびあがって来る。[*9]

ここで語り手は、自分が見た光景をありのままに表現しています。「淡い褐色の柔軟な皮膚」「揮発性の臭気」「厚ぼったく重い声」といった感覚的な表現が場面に臨場感をもたらしているので、私たちはあたかもその場にいるかのような錯覚におちいることでしょう。

しかしながら、多くの読者にとって、これが具体的にどのような場面について語っているのかを把握することは難しいかもしれません。実際、あまりにも詳細に場面が描写されているので、読者は語り手がどのような光景を見ているのかを理解することができないのです。幸いにも、続く文では語り手が大学の死体処理室にいることが明らかになっていますが、ミメーシス的な文章が読者を混乱させるリスクを持っていることには注意が必要でしょう。

さらに、ミメーシス的な描写がふさわしくないシチュエーションがあることも考慮に入れておかなければなりません。「公衆の面前でメディア[*10]に息子を殺させたり、邪悪なアトレ

＊9　大江健三郎『死者の奢り・飼育』新潮社、二〇一三年、八頁。

＊10　ギリシャ神話に登場する王女。夫から離婚されたことに怒ったメディアは、自分の息子であるメルメロスとペレースを殺害した。

ウス[11]に人肉を調理させたりしてはならない」[12]と詩人ホラティウス[13]が述べたように、グロテスクな残虐行為をあまりにもリアルに描いてしまうと、読者に強烈な心理的ストレスを与えてしまう恐れがあるのです。

◆ディエゲーシスの長所と短所

一方、ディエゲーシス的な文章は、ミメーシスが持つこうしたデメリットを解消することができます。あまり重要ではない部分を省略することによって、読者は次の場面へとテンポよく移動することが可能となります。ディエゲーシスはいかなる長いスパンをも要約することができるので、「学校で友達はできなかったが、特に苛められるわけでもなく私はなんとか、余計なことを口にしないことに成功したまま、小学校、中学校と成長していった」[14]と一言述べるだけで、幼年時代から現在の場面へとワープすることが可能となるのです。

また、物語の世界が現実とまったくかけ離れているファンタジーやSF小説の場合、ディエゲーシス的な文章を使って物語の設定をあらかじめ説明することが必要になってくるかもしれません。実際、「銀河帝国は崩壊しつつあった。それは銀河を構成する巨大な二重螺旋の腕の端から端に達する、何百万もの世界にまたがる壮大な帝国であった」[*15]というような要約がないと、私たちはアイザック・アシモフ[*16]が描く、大スペクタクルな物語についていくのがとても困難になるでしょう。

さらにディエゲーシス的な文章は、殺人や暴力といった凄惨(せいさん)なシーンを要約することで、読者に不安を抱かせないようにすることもできます。このように、ディエゲーシスは物語にメリハリをつけるうえで、とても有効な表現方法であると言えるのです。

ただし、文学の世界においては、ディエゲーシスは長らく「文学的ではない」文章とみ

＊11 ギリシャ神話に登場するミケーネの王。兄弟であるテュエステースの子供たちを殺害し、その肉をテュエステースに食べさせた。

＊12 Keith Maclennan "Horace: A Poet for a New Age" Cambridge University Press 2010, P. 184.

＊13 古代ローマの詩人（前六五～前八）。技巧にすぐれ、知的で都会的なユーモアと人間味に富む。中世の西洋文学に影響を与え、特に『詩論』は近代まで作詩法の模範とされた。

＊14 村田、前掲書、一七頁。

＊15 アイザック・アシモフ『ファウンデーション対帝国』岡部宏之訳、早川書房、一九八四年、九頁。

＊16 アメリカの作家（一九二〇～九二）。ボストン大学で生化学を研究後、ロボットをテーマとしたＳＦ小説を書いた。

なされ、ミメーシス的な表現ばかりが高く評価されてきました。たしかに、ディエゲーシス的な文章では、場面や登場人物の性格をリアルに描くことができません。ドラマチックな描写がないので、物語には緊張感が失われ、迫力が半減してしまいます。その一方、ミメーシス的な表現のみで作られた物語も、きわめて退屈だと言えます。読者はいっこうに進まない展開にうんざりしたり、ずっと気を配っていなければならない展開に神経をすり減らしてしまったりするかもしれません。

つまり、おもしろい物語の条件とは、ミメーシスとディエゲーシスをバランスよく組み合わせることにあると言えます。文学作品を建築にたとえるなら、ミメーシスはブロックであり、ディエゲーシスはそれを重ねていくためのセメントであると言えるでしょう。[*17] ブロックばかりでは建物が崩れてしまいますし、だからと言ってセメントばかりを使っても美しく見えません。作家は両者を絶妙なバランスで見事に使い分けることによって、頑丈で立派な作品を完成させることができるのです。

＊17 レオン・サーメリアン『小説の技法―視点・物語・文体』西前孝監訳、旺史社、一九八九年、三五頁。

18 多義性

言葉の意味はいつも二重性を帯びています。あいまいなところなど一つもなさそうな文章の中にも、つねにさまざまな解釈の可能性が秘められているのです。例えば、「犬はエスカレーターでは抱きかかえなければなりません」という注意書きについて考えてみましょう。批評家のテリー・イーグルトンは、この文がどれほどあいまいな文章であるかについて、次のように述べています。

この文は仔細に検討すると見かけほど明解な文ではないとわかる。あなたは犬を抱いていないとエスカレーターには乗れないとでもいわんばかりだ。エスカレーターで上に行くには、腕に抱く野良犬を見つけなければ、エスカレーターから引きずり下ろされそうだ。[*1]

もちろん、この注意書きは本来、「犬がエスカレーターに巻き込まれないように飼い主は抱えておかなければならない」という意味で書かれたものでしょう。しかしながら、イーグルトンが述べた通り、「犬を抱えていないと誰もこのエスカレーターには乗れない」というように解釈することも可能です。さらには、この言葉を一つの比喩として読むことさえできるかもしれません。[*2] 実際、エスカレーターを「進歩」、犬を「動物」のシンボルとして考えれば、「私たち人類は、野生動物を保護しつつ、文明を発展させていかなければならない」という、一種の環境保護活動のメッセージとしてこの文章を読みとることも可能です。私たちが話す言葉にはいつも、このような「誤読」の可能性がつきまとっているのです。

一方で、こうした言葉の「多義性」こそが、文学をより豊かなものとしていることも事実です。この章では、言葉の多義性がもたらすさまざまな効果に注目し、なぜ言葉にいくつもの意味が生まれるのか、そのメカニズムについて探っていきましょう。

◆「決定不能性」

前に述べた注意書きの例は、極端なケースであると思われるかもしれません。たしかに、「犬はエスカレーターでは抱きかかえなければなりません」という文面を見て、エスカレーターに乗るために犬を探そうとする人はおそらく誰もいないことでしょう。

しかしながら、批評家のポール・ド・マン[*3]によれば、いかなるテクストも、その意味を一つの解釈だけにゆだねることは不可能です。ド・マンはこの点を、「どんな違いがある？(What's the difference?)」という例文で指摘しました。このフレーズは、文字通りに解釈すれば、どのような違いがあるのかを質問している文章になります。一方、これを皮肉として解釈すれば、「違いなどない」というメッセージを強調するために、わざと質問の形で述べている文章として読むことができるでしょう。つまり、前者は違いの存在を認めてい

＊1　テリー・イーグルトン『文学とは何か―現代批評理論への招待（上）』大橋洋一訳、岩波書店、二〇一四年、三七頁。

＊2　同上、三九頁。

＊3　ベルギー生まれのアメリカの文学者（一九一九〜八三）。脱構築批評の先駆者として、文学理論における新地平を開拓した。著書に『理論への抵抗』など。

るのに対し、後者はそれを真っ向から否定しているのです。

ここで重要なのは、いったいどちらの解釈が正しいのか、私たちには判断することができないという点です。この文章からは、相手が果たして違いについて知りたがっているのか、それとも違いなどありえないと主張しているのか、まったく分かりません。[*4] このように、文法的にはまったく問題がないはずの文章が、複数の意味を生みだしてしまう事態を、ド・マンは「決定不能性」と呼びました。

文学は、こうした言葉の「多義性」がもっともよく表れている領域であると言えます。一例として、宮沢賢治の童話『注文の多い料理店』を考えてみましょう。物語は、山中で狩猟をしていた二人の紳士が、「西洋料理店」という看板の出ている家を見つけるところからスタートします。食事にありつけると思った彼らは、お店の扉に書かれてあるさまざまな注意書きの言うとおりにしていきますが、実はそれは恐ろしい山猫がしかけた言葉のワナだったのです。自分たちが食べられてしまうことに気づいた彼らは恐怖に怯えますが、間一髪で山の狩人に助けられて物語は幕を閉じます。

この物語の鍵をにぎるのは、紳士たちが行う「誤読」です。例えば、「当軒は注文の多い料理店ですからどうかそこはご承知ください[*5]」という注意書きを、彼らは「このお店はとても繁盛しているのだ」と解釈しました。「注文」をレストランのメニューのことであると考え、「注文が多い」という意味を「注文する客が多い」と理解したのです。ところが、人間を食べたい山猫の側にとって、「注文が多い」とは「このお店はあなたたちを料理するために多くの注文（命令）を出しますよ」という意味にほかなりません。これは「注文」という言葉が「商品を依頼する」という意味と、「相手に要求する条件」という二つの意味を合わせもつために生まれた「誤読」であると言えるでしょう。

また、「料理はもうすぐできます。十五分とお待たせはいたしません。すぐたべられます。早くあなたの頭に瓶の中の香水をよく振りかけてください[*6]」という注意書きを読んだ紳士たちは、もうすぐご飯を「たべられる」と解釈しました。ところが、山猫はこれを、紳士たちが山猫に「たべられる」という意味で書いていたのです。「たべられる」という言葉には、「たべることができる」、「他者に捕食される」という二通りの意味があります。紳

＊4　Paul de Man, "Semiology and Rhetoric", Allegories of Reading, Yale University Press, 1979, PP.9-10.

＊5　宮沢賢治『校本宮澤賢治全集第11巻』筑摩書房、一九七四年、三一頁。

＊6　同上、三四頁。

士たちはこうした言葉の多義性というワナにはまり、山猫に命を奪われるところまで追いつめられてしまったのです。

また、『注文の多い料理店』における言葉の多義性が、「人間のエゴイズム」を暴露するしかけとして機能していることにも注目してみましょう。紳士たちは山猫が書いた注意書きを、自分たちの都合の良いようにしか解釈していません。ごう慢にも、自分たちは食べる側であり、誰かに食べられるはずはないと信じ切っていたのです。こうした彼らの思い上がった態度は、人類と自然の関係をきわめて忠実に反映しているのではないでしょうか。

実のところ、私たち人類は、森林を伐採したり天然資源を搾取したりすることを、当然の権利のように思っています。しかしながら、紳士たちが山猫たちに痛めつけられたように、私たちもいつの日か、何らかの形で罰せられるかもしれません。「すべてを己れの都合にあわせて見ることしかしない彼らの傲り（おご）と、そうしかできない自己中心的な習性とが、自らをして山猫のわなに陥れさせたのである」[*7]と文学者の田近洵一（たぢかじゅんいち）が述べているように、宮沢賢治は言葉の多義性を通して、人間の醜悪さを痛烈に非難していたのです。

◇作品全体に見られる多義性

ここまで、私たちは一つの単語や文章における多義性に注目してきました。しかしながら、多義性は作品全体のレベルにおいても見られます。例えば、ロシアの童話『おおきなかぶ』について考えてみましょう。『おおきなかぶ』は、おじいさんがおばあさん、孫娘、そしてイヌやネコなどといった動物たちと協力して、大きなかぶを引き抜く物語です。一般的に、このストーリーは「弱い者同士が共に力を合わせることで、大きな目的を達成することができる」という教訓がテーマになっていると解釈されています。

しかしながら、文学者の西田谷洋(にしたやひろし)は、このストーリーに関して、「球形の物体を引き抜くためには予(あらかじ)め周囲を掘る必要があるのにそれがなされているようには見えず、強者から弱者へと手伝いの連鎖が続くことは弱者を意のままにし、不毛な回り道をさせる点でパシリ・愚行の物語としても解釈できる」[*8]と指摘しています。つまり、『おおきなかぶ』はいわば、「ジャイアンがスネ夫やのび太を暴力で支配する物語」としても読むことができるのです。こう考えれば、『おおきなかぶ』は「一致団結の精神を強調するおとぎばなし」に

＊7　田近洵一「童話『注文の多い料理店』研究」『日本文学（26巻）』、日本文学協会、一九七七年、二一一〜二二二頁。

＊8　西田谷洋『学びのエクササイズ文学理論』ひつじ書房、二〇一四年、八一頁。

もなれば、逆に「専制政治を糾弾する寓話」としても解釈することができると言えるのではないでしょうか。

もう一つの例として、「表面的な意味」と「深層的な意味」という多義性を有している、グリム童話の『眠れる森の美女』を考察してみましょう。主人公である王女は一五歳になったある日、紡ぎ車の錘（糸を紡ぐときに使う道具）が手の指に刺さり、深い眠りに落ちてしまいます。心理学者の河合隼雄は、この一連のストーリーを「思春期における女性の心理的発達の過程」として解釈しました。[*9] 一五歳という年齢は、ちょうど女性が子供から大人へと変身する時期にあたります。つまり、王女が一五歳で眠りに落ちてしまうという物語は、「思春期の女性が子どもから乙女へと変身する途中で経験する、心理的な危機」を表していたと解釈できるのです。『おおきなかぶ』や『眠れる森の美女』といった文学作品が現代にいたるまで読み継がれてきた背景には、こうしたさまざまな解釈を生みだすことができるといった特徴もあるのかもしれません。

◆言葉の多義性と私たち――バルトの記号論

物語の多義性の重要性を指摘した人物の一人に、ロラン・バルトがいます。バルトが提起した記号論は、言葉に多義性が生まれるプロセスを解説したものとしてきわめて秀逸です。しかしながら、バルトが残した功績はそれだけではありません。実のところ、バルトの記号論を現実世界に応用することで、私たちは権力者がいかに言葉を使って人々の思考を支配しようとしているのか、そのメカニズムを解明することが可能となります。いわば、国家や政治家が押しつけようとするイデオロギーを解読するためのスキルを身につけることができるのです。

この点について理解するために、まずは、言葉の多義性の仕組みがどのようにして引き起こされるのかについて見てみましょう。バルトは、言葉の多義性の謎をひもとくために、フェルディナン・ド・ソシュール[*10]の記号学に注目しました。ソシュールによれば、言葉は一種の記号のようなものにほかなりません。例えば、「ネコ」という言葉について考えてみましょう。私たちは「ネコ」という文字を目にしたり、「Neko」という発音を聞くとき、

＊9　河合隼雄『昔話の深層　ユング心理学者とグリム童話』講談社、一九九四年、一六二頁。

＊10　スイスの言語学者（一八五七〜一九一三）。死後出版された『一般言語学講義』は現代言語学の発展に影響を与え、構造主義言語学の重要な概念となった。また、伝統的言語観の言語名称目録観を否定し、言語以前には認識対象は存在しないことを明らかにした。

図1：文字や発音から連想するイメージ

記号	
〈記号表現〉 「ネコ」という文字や 「Neko」という発音	〈記号内容〉 文字や発音によって連想される ネコのイメージ

あの「けむくじゃらのかわいい動物」を頭の中で思いうかべます。ソシュールは、私たちにネコのイメージを思い起こさせる、「ネコ」という文字や「Neko」という発音を、「記号表現」と名付けました。一方で、そうした文字や発音によって連想するネコのイメージを「記号内容」と呼んで区別しました（図1）。バルトは、この「記号表現」と「記号内容」のつながりを「ファースト・オーダー」と呼んでいます。もし、言葉という記号がファースト・オーダーだけで成り立っているのであれば、言葉はいつも安定した状態を保つことができるかもしれません。誰かが「ネコ」と言えば、それはあの「かわいい動物」を指すと決まっているので、誰かが言葉の意味を勝手に改変する余地はほとんどないのです。ところが、バルトによれば、私たちは時としてファースト・オーダーから新しい意味を生みだしてしまうことがあります。

「ファースト・オーダーから新しい意味を生みだす」とは、どういう意味でしょうか？　バルトは、学校で習う外国語を例に挙げてこ

図2：ファースト・オーダー

記号	
〈記号表現〉 「This is a cat」という文字や発音	〈記号内容〉 これはネコです

の点を論じています。[*11] 例えば、「This is a cat」という英語の文について考えてみてください。「This is a cat」という文は、文字通りには「これはネコです」という意味になります。この文を記号として考えれば、「This is a cat」は「記号表現」、「これはネコです」は「記号内容」であると言えるでしょう（図2）。しかしながら、この文は当然、私たちにネコの存在について教えるために書かれたものではありません。この文はむしろ、「英語の文法を教えるための例文」という役割を担っていることが分かります。ここでこの文章が、本来の意味とはまた違った意味を生みだしていることに注意しましょう。つまり、もともと「これはネコです」というメッセージを伝えるはずだった記号が、「文法の例文」という新しい意味を担っているのです。バルトは、「ファースト・オーダー」そのものが生みだし

*11　ロラン・バルト『神話作用』篠沢秀夫訳、現代思潮新社、一九六七年、一四九頁。

図3：多義性が生まれる

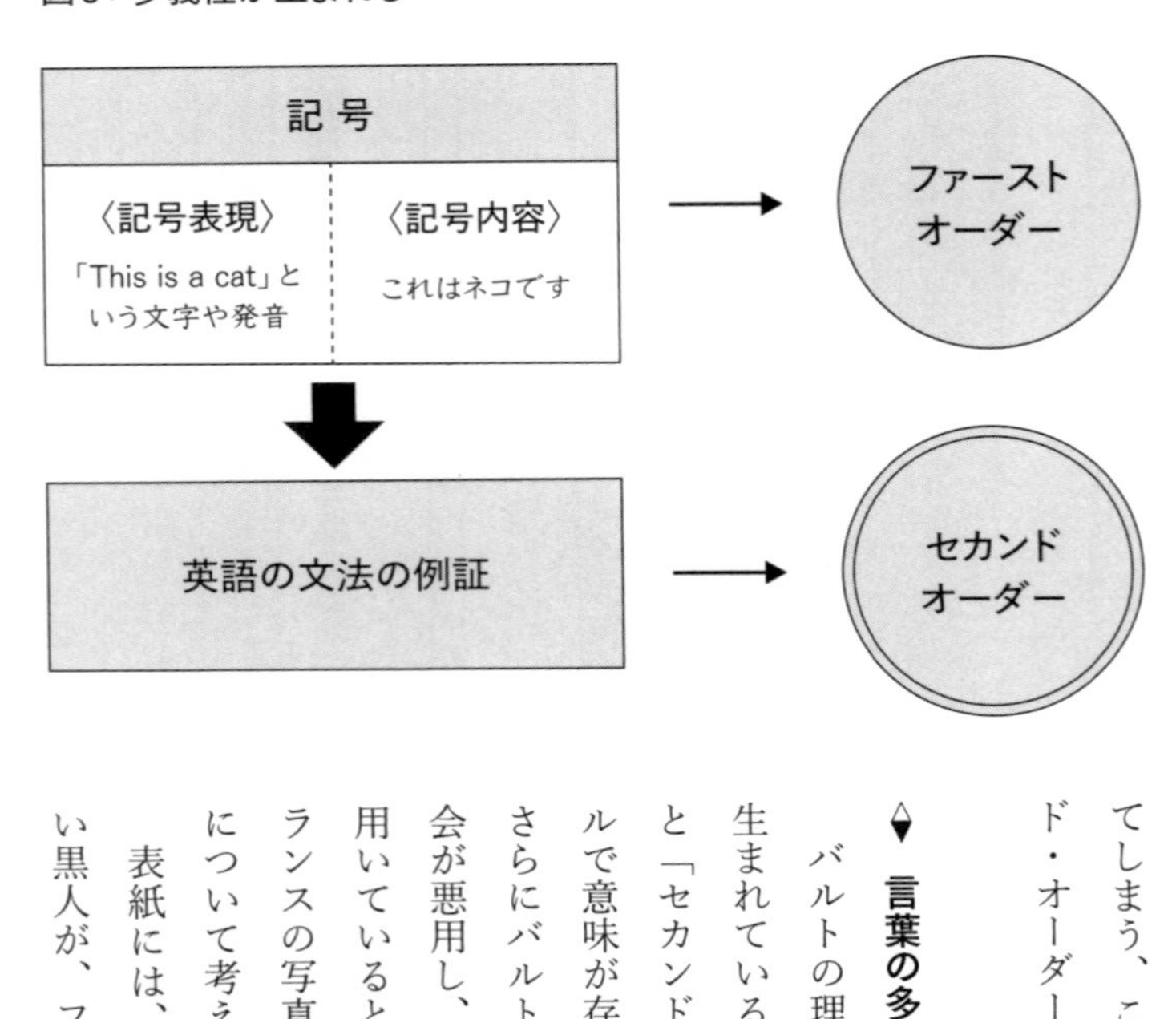

てしまう、こうした新しい意味を、「セカンド・オーダー」と名付けました（図3）。

◆言葉の多義性とイデオロギー

バルトの理論に基づけば、言葉に多義性が生まれているのは、「ファースト・オーダー」と「セカンド・オーダー」という二つのレベルで意味が存在するからにほかなりません。

さらにバルトは、こうした言葉の多義性を社会が悪用し、イデオロギーの宣伝手段として用いていると指摘しました。一例として、フランスの写真週刊誌『パリ・マッチ』の表紙について考えてみましょう。

表紙には、「フランス陸軍の軍服を着た若い黒人が、フランス国旗に敬礼している姿」

図4：セカンド・オーダーによるイデオロギー

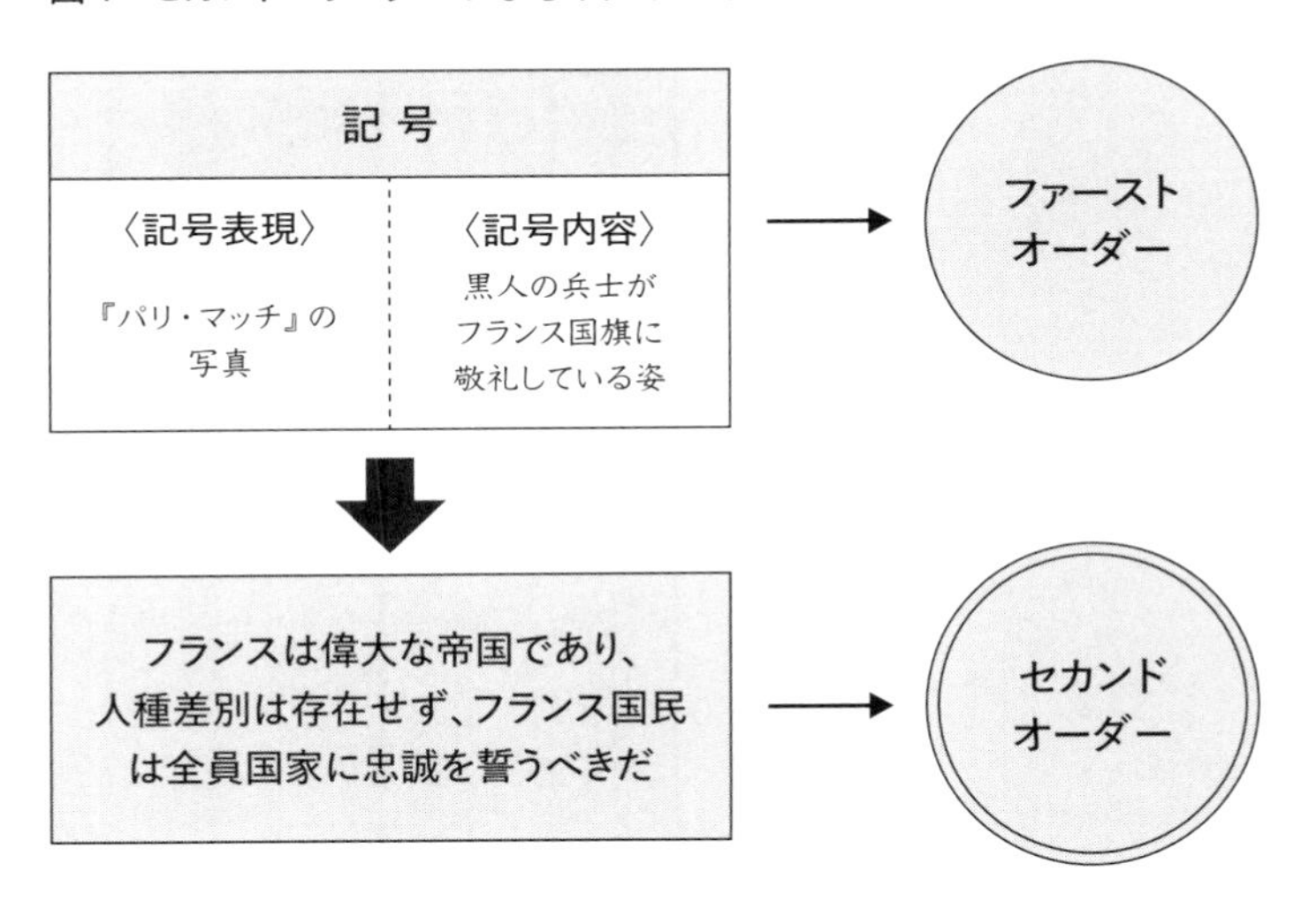

が載せられています。バルトの理論に則して考えれば、これを「ファースト・オーダー」と見なすことができるでしょう。しかしながら、先ほども述べたように、私たちの社会は狡猾にもこの「ファースト・オーダー」に目をつけて、これに新たな意味をつけ加えようとします。それこそがこの写真における「セカンド・オーダー」なのです。

例えば、この写真を見たフランス人は、「フランスは偉大な帝国であり、人種差別は存在せず、フランス国民は全員国家に忠誠を誓うべきだ」というイメージを無意識のうちに創り出してしまうかもしれません。[*12]つまり、フランス政府はこの写真が持つ「ファースト・オーダー」を乗っとり、愛国的なイデオロギーを広めるための手段としてこの写真を利用していたのです（図4）。実際、この写真を見る人々の心には、フランスの栄光が強く印象づけられることでしょう。しかも、彼らはパリに暮らす黒人たちの、現実の生活を頭に思いうかべることはありません。こうして、この写真は、愛国主義を宣伝する道具へと変貌してしまうのです。

こうしたメカニズムに気づくことは、私たちが国家やマスメディアのイデオロギーに抗うための重要な手段となります。あらゆる言葉に隠された「セカンド・オーダー」を自らの手で解明していくことで、彼らの言葉にどのようなイデオロギーが潜んでおり、それらがどのような印象を私たちに与えようとしているのか、そのからくりを暴くことができると言えるでしょう。

＊12　同上、一五〇頁。

19 ジャンル

かつて、ドイツの哲学者エルンスト・カッシーラーは、人間を「ホモ・シンボリクス（象徴を用いる人）」と呼び、言葉を使ってありとあらゆるものをカテゴリー化できる能力こそが、人間が持つ最大の特徴であると考えました。

たしかに、私たち人間には、この世界に区切りを入れて何でも分類したいという衝動のようなものがあります。犬というカテゴリー一つを取っても、「大型犬」「中型犬」「小型犬」というサイズによる分け方をしたり、「ゴールデンレトリバー」「ダルメシアン」「ブルドッグ」といった品種に基づいた分け方をしたり、さらには「盲導犬」「災害救助犬」「軍用犬」というように、職業に準じて分けたりしています。人類最古の文学作品である旧約聖書も、最初の人間であるアダムが行った仕事として、動物に名前を付けたことを伝えていますが、言葉によってすべてをカテゴリー化しようという欲求は、人類が共通に持つ本能と言えるかもしれません。

文学という領域においても、作品をいろいろなカテゴリーに分類しようという運動は、一九世紀の末ごろから盛んに論じられるようになりました。こうした研究スタイルは、ジャンル批評とも呼ばれ、現代の文学批評においても重要な位置を占めています。この章では、文学作品を分類するさまざまな手法について考えてみましょう。

◆ジャンル批評——形式によるカテゴリー化

ジャンル批評には、大きく分けて二つの方法があります。一つは、形式に基づいて作品を分類する方法です。これは、ある作品について、「これは詩というジャンルに属している」とか「この作品は評論に該当する」といったように、作品をその形式に基づいて分けていくプロセスのことを指します。例えば、次の二つの作品を見てください。

〈作品1〉

何の変哲もないふたつの教室。同じように前をむいて並んだ子どもたちが思い思いに自習している。部屋の大きさや形、席の数や配列、どこをとっても何らかわりはない。ただひとつの違いは、第一の教室では監督が前からにらみをきかせているのに、第二の教室ではうしろにいる、いや、いるらしいとしかわからないという点にある。たったこれだけの違いが生徒たちの行動様式に根本的差異を生じさせると言えば、大げさにひびくだろうか。[*1]

〈作品2〉

あの青い空の波の音が聞えるあたりに
何かとんでもないおとし物を
僕はしてきてしまったらしい

透明な過去の駅で

＊1　浅田彰『構造と力―記号論を超えて』勁草書房、一九八三年、二一一頁。

遺失物係の前に立ったら
僕は余計に悲しくなってしまった*2

前者の作品が評論であり、後者の作品が詩のジャンルに属していることは、なんとなく理解できるのではないでしょうか。前者の言葉づかいはきわめて論理的であり、飾り立てるようなフレーズがほとんど見られません。一方、後者の作品は文章が短いうえに、句読点も見当たらず、空白が目立ちます。また、「悲しくなってしまった」という言葉からは、作者が読者の理性にではなく、感情に訴えている様子が読みとれるでしょう。こうしてみると、形式による作品のカテゴリー化は、とても簡単な作業のように思えるかもしれません。

しかしながら、なかには作品がどのジャンルに属しているのか、判断するのが難しいケースも数多く存在します。一例として、『私の家への道順の推敲（すいこう）』という次の文章を考えてみてください。

地下鉄丸ノ内線と言えば、豊島区の池袋から南西の杉並区荻窪まで、直線距離にすればたかだか九粁ほどのところを、わざわざ茗荷谷、御茶ノ水、東京、銀座、四谷、新宿という工合に遠廻りして走ってるので評判である。私の家は残念だが、その終点荻窪の一つ手前の駅、南阿佐ケ谷に程近い。南阿佐ケ谷で地上に出ると、青梅街道沿いの歩道に立つのを避ける訳にはいかない。そこから仮に東へ歩き始めるとすると、街道の南側には杉並郵便局、つづいて杉並警察署、北側には杉並区役所が現実に立っていて、その先に一軒の運動用品店が、この場合、目に入るだろうと思う。その角を単に右折して青梅街道と別れるのが正しい。

さしたる曲折もなく杉並水道局を過ぎ、僅かな下り坂だけで住宅公団阿佐ケ谷団地に突き当る事のできるのも、その道ならではの話だ。おまけにあろう事か、最後の数十米はテニスコートに沿ってすらいる。だから、突き当って左折し、更に公衆電話ボックスを再び左折すると言っても、結果はテニスコートを半廻りするにひとしい。(但、杉並税務署は、二度目の左折後、右手に見る)

その後はもう簡単だ。どこかそのあたりの狭隘な十字路の一つを曲り、他の一つを曲ら

＊2　谷川俊太郎「かなしみ」(『二十億光年の孤独』集英社、二〇〇八年)。

なければいい。恐らく通俗的な煙草小売店の一軒や二軒には出会うだろうが、そんなところで道に迷う必要は全く無い。崖とか人造湖の如きものも存在しないから、危険は事実上無視できる。墓地に挟まれた小道を抜けて、結局八百屋のあるのが目印になるだろう。

言うまでもなく、八百屋の隣は酒屋、その隣は菓子屋、そして歯科医院、ペンキ屋、本屋、果物屋という風に周辺の共同体は連続している。北へ青梅街道を越えて、それはますます高密度化しつつ遂には国電阿佐ケ谷駅へと収斂する。その駅からも当然、私の家へ徒歩で達する事が可能だ。*3

この作品はどう見ても、私たちが想像している「詩」のイメージとは程遠い姿でしょう。実際、一つひとつの文が長々と続いており、改行がほとんどないので、詩というよりもエッセイのような印象を受けます。内容も、誰かに自宅までの道順を教えているような、つまらないテーマのように思えますし、「豊島区」「南阿佐ケ谷」「青梅街道」など、無味乾燥な固有名詞が次から次へと現れて、詩的なニュアンスがまったく感じられません。一言で言えば、「詩」というジャンルよりも、むしろ論理的な文章に属する作品のように見えるのです。

しかしながら、困ったことに、『私の家への道順の推敲』はあの有名な詩人である谷川俊太郎[*4]が書いた詩であり、彼の詩集である『定義』の中に収録されています。つまり、作品を見た目で分類しようという私たちの試みは、いつでも成功するわけではないのです。それでは、いったいなぜ、この作品は詩と見なされているのでしょうか？　詩を他のジャンルと区別できる、明確な基準はどこにあるのでしょうか？

◆ヤーコブソンの「詩的機能」論

こうした問題に正面から取り組んだのが、ロシアの言語学者ローマン・ヤーコブソン[*5]です。ヤーコブソンは、ある作品が詩と見なされるためには、その作品に「詩的機能」が含

＊3　谷川俊太郎『定義』思潮社、一九七五年。
＊4　詩人（一九三一～）。詩集『二十億光年の孤独』で三好達治の推賞を受け、以後日本的感性とモダニズムの融合した詩的世界を拡大した。
＊5　ロシアの言語学者（一八九六～一九八二）。プラハ学派の代表的存在として、構造主義音韻論を確立。一九四一年にアメリカに移住してからは言語の諸機能のモデルや文法的意味の研究などを論じた。

まれていなければならないと考えました。「詩的機能」とはいったい何でしょうか？　その点を知るために、まずは彼が提起したコミュニケーション論について考えてみましょう。ヤーコブソンは、言葉には次の六つの機能が存在すると指摘しています。*6

〈1〉指示的機能……何らかの状況や事実を伝える機能のことで、言葉が持つ最も一般的な機能です。「中央線で遅れが生じています」「三〇代教諭がわいせつ行為で逮捕」「明日、閉店セールを行います」など、さまざまな出来事を伝えるときに使われる表現です。

〈2〉表情的機能……言葉が発信者の態度を表現するために使われる場合、その言葉は表情的な機能を持ちます。例えば、不愉快な気持ちや残念な気持ちを表現するために、「ちぇっ」と言って舌打ちをすることがありますが、これも表情的機能の一例と言えます。

〈3〉働きかけ機能……これは、相手に何かしてもらいたいときに使う言葉のことです。

「恋愛禁止！」や「俺にかまうな、先に行け！」など、禁止や命令の表現がこれに当てはまると言えるでしょう。

〈4〉交話的機能……「もしもし」や「どうぞよろしくお願いします」など、相手が自分とのコミュニケーションをとっているかどうかを確認するために使われる言葉のことを指しています。こうしたあいさつには、発信者と受信者の心を通わせる機能があります。

〈5〉メタ言語的機能……言葉が自分自身の機能について語っている場合、それはメタ言語的なメッセージと言えます。例えば、英語の授業で先生が「This is a pen」と言った場合、これは決してペンという存在を生徒たちに伝えたいと思っているわけではありません。この言葉は「ｂｅ動詞」の規則を例証するための例文であ

＊6　ロマーン・ヤーコブソン『一般言語学』川本茂雄監修、みすず書房、一九七三年、一八八〜一九三頁。

り、生徒たちが自分と同じく文法を理解しているかどうかを確認するために使われているという意味で、メタ言語的であると見なせます。

〈6〉詩的機能……私たちの注意が文の構造や音の連なりといった、言葉の性質そのものに向けられたときに生まれる機能のことを指します。例えば、「うまいんだな、これが」というサントリーのキャッチフレーズは、一般的な文である「これが、うまいんだな」を反転させることにより、私たちの注意を惹きつけています。また、味の素の有名なキャッチコピーである「あしたのもと　AJINOMOTO」も、「あしたのもと」と「AJINOMOTO」という音の響きを並べることで、言葉が持っている音の特徴を強調していることが分かります。

詩を考えるうえで一番重要になるのは、六番目の機能である「詩的機能」です。私たちは詩を読むとき、言葉が伝える内容よりも、その言葉そのものが持っている、独特な音のパターンや文の構造に注意が向く場合があります。例として、那珂太郎(なかたろう)[*7]の『〈毛〉のモチイフによる或る展覧會のためのエスキス』を見てみましょう。

からむからだふれあふひふとひふはだにはえる毛
なめる舌すふくちびる噛む歯つまる唾のみこむのど　のどにのびる毛
くらいくだびつしり　おびただしい毛毛毛毛毛毛毛[*8]

この作品を読んだ私たちは、言葉のユニークな音の響きや、視覚的な形に驚かされることでしょう。詩人の野村喜和夫はこの詩について、「柔らかい音の連なりがそのまま絡み合う映像」へとつながり、「映像はさらに体の各パーツを拡大してなまなましくなり（『なめる舌』『すふくちびる』）、やがて内視鏡で体内を映し見るような、気味悪いほどのリアルさを獲得する。[*9]」と述べ、この詩の中で言葉がいかに活性化されているかを論じています。いわば、それまで道具としてしか見られていなかった言葉が、その存在感を強烈にアピールしているのです。

＊7　詩人（一九二二〜二〇一四）。言語の音楽性と映像性を追求した『音楽』で室生犀星詩人賞、読売文学賞を受賞した。ほかに、『空我山房日乗其他』『幽明過客抄』『鎮魂歌』など。
＊8　那珂太郎『詩集　音楽』思潮社、一九六六年。
＊9　大岡信編『現代詩の鑑賞１０１』新書館、一九九八年、六六頁。

こうした点を踏まえれば、前述した『私の家への道順の推敲』という作品が、詩のジャンルに属しているという事実にもうなずけます。この詩は、誰かに自宅への道順を教えている様子を描いた、陳腐な文章のように思えるかもしれません。しかしながら、作者は冒頭からすでに「地下鉄丸ノ内線と言えば」などと、ひどく遠回りな言い方を用いることで、言葉そのものの本質に読者の注意を向けようとしているのです。事実、野村もこの作品が「道順をより正確に伝えようとして言葉を選んだり、語順を変えたりしているうちに、たまさか言葉の方で勝手に脱線してしまったり、自走してしまったり、あるいはほかの適切でない言葉とすり代わってしまったり[*10]」していると述べて、その詩的機能性を高く評価しました。

このように、ヤーコブソンが提起した詩的機能という定式は、詩というジャンルを論じるうえで、きわめて有効な理論となっています。実のところ、評論にしろ小説にしろ、通常の文章において最もよく目立っているのは指示的機能であり、詩的機能を目指した作品はほとんどありません。「語の音の類似性による結合は、ほとんどいつも静止され、意識されることはない[*11]」のです。それに対して、詩というジャンルは、詩的機能を全面に押し出していることから、指示的機能の対極にあると言えるでしょう。私たちはヤーコブソンの理論をリトマス試験紙のように用いることで、ある作品が詩と見なせるのかどうかの判断を行うことができるのです。

◆ジャンル批評——内容によるカテゴリー化

ここまで、形式上の違いに沿って作品を分類してきました。一方、物語の形式ではなく、内容に基づいて作品を区別することもあります。「不条理文学」というジャンルがありますが、これは一般的に、世界の無意味さや非合理性をテーマにした作品を含んでいます。したがって、カフカの『変身』といった小説や、サミュエル・ベケット[*12]の戯曲『ゴドーを待ちながら』、さらにはカミュの『シーシュポスの神話』といった評論など、さまざまな形式の作品をこのジャンルに分けることができるでしょう。

＊10 同上、一五三頁。
＊11 アレクサンドル・ルリヤ『言葉と意識』天野清訳、金子書房、一九八二年、一二〇頁。
＊12 アイルランドの劇作家、小説家（一九〇六～八九）。戯曲『ゴドーを待ちながら』で特異な地位を確立。作品は難解とされているが、根底にあるのは、確固とした存在理由が失われたあとの人間の内面像である。

しかしながら、内容によって作品を分類するのはそう簡単なことではありません。ロシアの文学者ミハイル・バフチン[*13]は、内容によって作品を分類することの不毛さについて、次のように述べています。

ジャンルの問題は総じて、いささかなりとも満足のいくような原理的解決をみていない。［中略］小説研究はたいていの場合、小説の変種の可能なかぎり完璧な目録作りと記述にかぎられている。だが、その種の記述をどれほど繰り返したところで、ジャンルとしての小説の多少とも包括的と言えそうな公式を首尾よく提示できたことは一度たりとなかった。[*14]

バフチンが指摘している通り、内容による作品のカテゴリー化の試みは現在にいたるまで統一的な理論が構築されていません。なぜ、内容によって作品を分類することはこんなにも難しいのでしょうか？

一つの理由として挙げられるのが、文学のジャンルが「動的」な概念であるという点です。ツヴェタン・トドロフは、生物学との違いを例に挙げて、この点を説明しています。

生物学では、新しい個体が生まれても、種の定義が変わるようなことはありません。例えば、トラの赤ちゃんが一匹生まれたとしても、そのことによってトラという種に何らかの変更が加えられることはないでしょう。つまり、生物学におけるジャンル（種）はきわめて「固定的」であると言えるのです。

ところが、文学の領域においては、事情がまったく違います。トドロフは、新しい作品の誕生が「ありうる作品の総体を変化させ[*15]」、まったく新しいジャンルを生み出す可能性さえあることを指摘しました。つまり、世に出てくる新しい作品は、既存のジャンルの特性を有していると同時に、そうした特性を変化させる要素も持っているのです。一例として、

＊13　ロシアの文学者（一八九五〜一九七五）。豊かな学識をもとに近代文学研究の狭隘さを批判。また文学作品の構造的研究に斬新な視点を導入した。

＊14　ミハイル・バフチン『小説における時間と時空間の諸形式』伊東一郎ほか訳、水声社、二〇〇一年、四七八頁。

＊15　ツヴェタン・トドロフ『幻想文学論序説』三好郁朗訳、東京創元社、一九九九年、一五頁。

メアリー・シェリー[*16]の小説『フランケンシュタイン』について考えてみましょう。『フランケンシュタイン』は、ホラー文学というジャンルの先駆けとなった作品として有名です。この物語は恐怖をテーマとしており、不気味な描写や陰惨な出来事が登場しています。[*17]しかしながら、文学者の廣野由美子は、この作品が当時盛んだったロマン主義文学の影響も受けていることを指摘しました。たしかに、『フランケンシュタイン』には、ロマン主義文学の特徴である「崇高な山々や神秘的な湖などの自然描写[*18]」が度々登場していま す。つまり、『フランケンシュタイン』という作品は、ロマン主義文学というジャンルの特徴を有していると同時に、ホラー文学というジャンルにも属していることになるのです。

こう考えてみると、内容による作品のカテゴリー化がいかに難しいことであるかに気づくことができるでしょう。生物学において、ある個体が二つの種に属していることはあり得ません。一方、文学作品は、一つのジャンルだけに当てはまることもあれば、複数のジャンルに属している場合もあり得ると言えます。こうした文学作品の重複性が、内容に基づく分類作業を困難なものにしているのです。

しかしながら、冒頭でも触れたように、ある対象を分類したいという思いは、人間の本能に根ざしています。この点に関しては、文学者も例外ではありません。実際、「あらゆる文学的言説を支配する法則と原理」[19]を見いだそうと、数多くの研究者たちは並々ならぬ力を注いできました。その結果、今ではノースロップ・フライやロバート・スコールズといった著名な学者たちが、きわめて有力なジャンル批評を展開しています。ここでは一つの例として、スコールズが提唱したジャンル理論に目を向けてみましょう[20]（図1）。

この図における横軸は、フィクションの世界が現実世界と比べてすぐれているか、それとも劣っているかを示す指標です。左に行けば行くほど、物語の世界は現実と比べて堕落したものとなり、逆に右に行けば行くほど、物語の世界は理想的なものとなります。例え

＊16　イギリスの作家（一七九七～一八五一）。女権拡張論者として有名なメアリー・ウルストンクラフトの娘。恐怖小説『フランケンシュタイン』は、ボリス・カーロフ主演の映画以来、ホラーの定番となった。

＊17　廣野由美子『批評理論入門―「フランケンシュタイン」解剖講義』中央公論社、二〇〇五年、一二七頁。

＊18　同上、一二五頁。

＊19　ジェラール・ジュネット『物語のディスクール―方法論の試み』下巻、花輪光・和泉涼訳、水声社、一九九七年、二三四頁。

＊20　ロバート・スコールズ『スコールズの文学講義―テクストの構造分析にむけて』、高井宏子ほか訳、岩波書店、一九九二年、一九八～二〇四頁。

図1：ジャンル理論

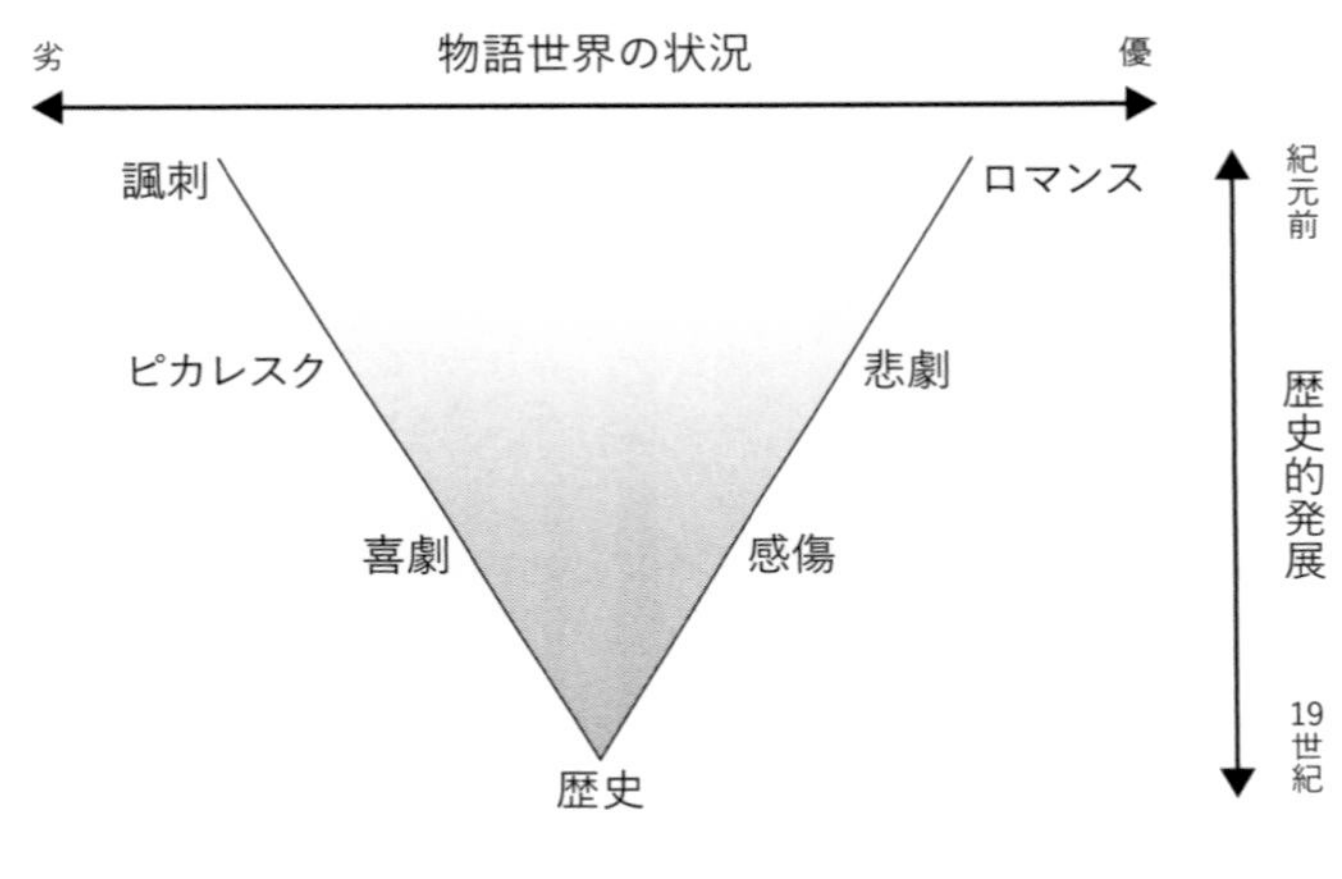

ば、登場人物の愚行や政治的腐敗などを批判する風刺文学では、劣悪な世界が描かれる一方、ロマンスにおいては、超人的な力を持つ英雄たちが登場する、理想的な世界が舞台となっています。その中間に位置する歴史小説では、時代考証に基づき、現実の世界を忠実に再現した世界が描かれることになります。

次に、この図における縦軸は、ジャンルの歴史的発展を表しています。スコールズは、中世以前の世界には風刺とロマンスの二つのジャンルしか存在しなかったと指摘しました。たしかに、風刺文学もロマンスも、共に古代ローマの時代に栄えたジャンルです。スコールズによれば、風刺はその後ピカレスク[*21]を経て喜劇へと移行し、ロマンスは悲劇から感傷小説[*22]へと発展していきました。時代を経るにつれて、文学は現実を忠実に再現しようという方向へと進んでいき、それは一九世紀のリアリズム文学や歴史小説において一つの頂点に達します。

スコールズはさらに、二〇世紀以降の現代文学が、こうした歴史とは逆の方向に進んでいると述べました。つまり、現代人は現実をありのままに再現しようとする考えから反転し、風刺文学やロマンス文学のように、現実からかけ離れた世界を描く傾向があると言えるのです。たしかに、現在流行しているライトノベルの中には「ハーレム系」や「チート系」など、ロマンス的な要素を持つ作品が数多くあります。また、ジョージ・オーウェル*23の小説『1984』や諫山創(いさやまはじめ)のグラフィック・ノベル『進撃の巨人』などは、絶望的な世界を描くことによって、人間社会の愚かさを痛烈に批判する、風刺文学に属すると言えるかもしれません。こうした点を考えると、スコールズの理論には一定の説得力があるように

*21 悪者小説。貧しい主人公が各地を放浪して、生きるために罪を重ねる物語。
*22 読者を泣かせるような要素を持つ物語。
*23 イギリスの小説家（一九〇三～五〇）。第二次世界大戦中、BBCで極東宣伝放送を担当し、スターリン体制を戯画化した『動物農場』を執筆。ディストピア小説『1984』はベストセラーとなった。

思えます。

　また、この理論によって、ある作品がさまざまなジャンルの影響を受けていることも可視化することができるでしょう。例えば、スタンダールの小説『赤と黒』は、主人公が悪を犯すという点でピカレスク的な要素を持つ一方、読者の涙を誘う物語でもあるという点において、感傷小説的な要素を持ち合わせています。一見分類するのが難しいこのような作品も、図表におけるピカレスクと感傷の中間地点に置くことで、容易にカテゴライズすることができるのです。

　ただし、彼の理論はあくまでも「仮説」にすぎないことに注意しましょう。もしかしたら、このカテゴリーに当てはまらない作品も見つかるかもしれません。ジャンル批評はこのように、未だ発展途上ではありますが、同時に大きな可能性を秘めています。こうした可能性こそが、今なお多くの文学者たちを魅了し続けているのです。

20 結末

文学作品の結末は、その物語の運命を左右する重要な部分です。「いかなる物語であれ最後の一文というものは、まさに最後の一文であるがゆえに独特の残響音を持つ」[*1]とデイヴィッド・ロッジが述べているとおり、結末というのは作品に対する読者の印象を、まさに永遠に決定づける部分であると言って良いでしょう。この章では、結末が物語においてどのような役割を果たしているのか、そして結末にはどのようなパターンがあるのかについて、詳しく見ていきましょう。

＊1 デイヴィッド・ロッジ『小説の技巧』柴田元幸・斎藤兆史訳、白水社、一九九七年、三〇三頁。

◆『山椒魚』改稿事件

結末が物語にとってどれほど重要なのかを知る一例としては、井伏鱒二の短編『山椒魚』が挙げられます。主人公の山椒魚は、すみかである岩屋に二年間も住んでいたために、そこから出られなくなってしまい、途方にくれます。絶望した山椒魚は自暴自棄になり、偶然飛び込んできた一匹のカエルを岩屋の中に閉じ込めてしまいました。山椒魚とカエルは喧嘩を始め、しまいには自分の悲しみを相手にさとられまいと、二匹とも黙り込んでしまいます。

一九二九年に発表された当初、この物語の結末は、次のような文章で締めくくられていました。

> ところが山椒魚よりも先に、岩の凹みの相手は、不注意にも深い歎息（たんそく）をもらしてしまった。それは「ああああ」という最も小さな風の音であった。去年と同じく、しきりに杉苔（すぎごけ）の花粉の散る光景が彼の歎息をそそのかしたのである。
>
> 山椒魚がこれを聞きのがす道理はなかった。彼は上の方を見上げ、かつ友情を瞳にこめてたずねた。

「お前は、さっき大きな息をしたろう？」

相手は自分を鞭撻（べんたつ）して答えた。

「それがどうした？」

「そんな返辞をするな。もう、そこから降りて来てもよろしい。」

「空腹で動けない。」

「それでは、もうだめなようか？」

相手は答えた。

「もうだめなようだ。」

よほどしばらくしてから山椒魚はたずねた。

「お前は、今どういうことを考えているようなのだろうか？」

相手は極めて遠慮がちに答えた。

「今でもべつにお前のことをおこってはいないんだ。[*2]」

＊2　井伏鱒二『現代の文学6井伏鱒二集』河出書房新社、一九六五年、一四二頁。

従来、この結末の文章は「和解」のテーマを描いたものであると見なされてきました。山椒魚が「友情を瞳に」込めていたり、カエルが「今でもべつにお前のことをおこってはいないんだ」と述べている部分から、カエルが山椒魚のことをすでに許しており、「岩屋から出られない境遇と苦しみ」を両者が分かち合っているものと捉えられてきたのです。[*3] ところが、発表から半世紀以上経った一九八五年、作者は突然この部分の削除を決めます。その結果、作品全体のありようがそれまでとはまったく変わってしまうことになったのです。

実際、それまでの結末には、現実に対するほのかな希望の光がまだ感じられていました。絶望することだけが人生ではないことを、この作品は読者に訴えていたのです。しかしながら、結末を書き直したことによって、『山椒魚』は「和解（許し合い・心の通じ合い）の可能性すら残されていない現実の暗さのみがクローズアップされてくる作品」[*4]となってしまいました。この改稿が良いのか悪いのかはともかく、この事件から分かるのは、作品全体のテーマにおいて、結末の部分がいかに重要な影響を及ぼしているのかという点です。そうであれば、井伏鱒二が結末へのあくなき執念を見せたのも理解することができるでしょう。

◆閉じられた終わりと開かれた終わり

結末には、大きく分けて二つのタイプがあります。一つ目は、「閉じられた終わり」と呼ばれるもので、物語が最後にきれいさっぱりと解消するスタイルのことを指します。事件が解決したり、主人公がヒロインと結ばれたりするような「ハッピー・エンディング」や、逆に主人公が死んでしまうような「アンハッピー・エンディング」もこのタイプに含まれるでしょう。私たちが接する物語の多くは、だいたいこのどちらかのエンディングを迎えることが多いかもしれません。

しかしながら、結末にはもう一つ、「開かれた終わり」というタイプもあります。例えば、ハッピー・エンドで終わるような展開にもかかわらず、読者の予想をくつがえす結末が用意されている場合があります。このような場合、私たちは意外な結末に驚き、とまどい、混乱してしまうことが少なくありません。また、はっきりとした終わりが示されないので、

＊3　市川紘美「国語科教育教材としての『山椒魚』」『大東文化大学教職課程センター紀要（2）』大東文化大学、二〇一七年、一五頁。

＊4　佐藤嗣男「テキストを選んで読む権利─『山椒魚』と『おおきなかぶ』と」『文学と教育（135）』文学教育研究者集団、一九八六年、六七頁。

物語に多種多様な解釈が生まれることにもなります。なぜ、物語にはこのような「どんでん返し」のケースが存在するのでしょうか?

◆「開かれた終わり」のメカニズム

こうした「開かれた終わり」のメカニズムを考察したのが、文学者の青砥弘幸(あおとひろゆき)です。彼は、「図式」と「認知的不協和」という二つのキーワードを用いて、どんでん返しが起こる仕組みを分析しました。*5

まず、「図式」とは、「主体が環境と交渉する際に用いる既有の知識の枠組みや活動の枠組み」*6のことを指します。少し難しく聞こえますが、分かりやすく言えば、「こうすればこうなるはずだ」や「こうなればこうなるだろう」といった、私たちが無意識のうちに持っている世界観のことです。一例として、次の一節について考えてみましょう。

半沢直樹は会社の不正を暴いた。彼は部長に昇進した。

この文章を解釈する際、私たちは「こうなればこうなるはずだ」という「図式」を働かせます。例えば、ここでは「正義は報われるはずだ」という「図式」や、「会社は正しいことをした人の功績を認めてくれるはずだ」といった「図式」を働かせるかもしれません。私たちはこうした「図式」によって、「半沢直樹が昇進したのは、彼が良いことをしたからだ」というふうに、テクストの内容を理解することができます。このように、読者は自分たちが持っているさまざまな「図式」に物語を同化させていくことで、ストーリーを無理なく受け入れることができるのです。[*7]

一般的に、「閉じられた終わり」の物語では、こうした「図式」とストーリーの展開が矛盾することはありません。私たちは主人公が会社の不正を暴き、その結果出世したことに納得し、心地よい完結感にひたることができるのです。

ところが、「意外な結末」になるとそうはいきません。「意外な結末」では、私たちが持っている「図式」が、物語の展開と矛盾してしまうのです。例えば、次のような物語はど

＊5　青砥弘幸「認知的な〈ズレ〉を手がかりとした文学テクストの教材論的考察：『ごんぎつね』の悲劇的結末の可能性」『国語教育思想研究（3）』国語教育思想研究会、二〇一一年、一～八頁。
＊6　木村洋二『笑いの社会学』世界思想社、一九八三年、一二頁。
＊7　青砥、前掲書、二頁。

うでしょうか。

半沢直樹は会社の不正を暴いた。彼は左遷された。

このテクストは、「正義は報われる」というそれまでの「図式」に当てはまりません。その結果、「おかしい」「あれ、どうして？」「変だな」という「理解のズレ」が引き起こされることになります。読者は、今までの「図式」で解釈できない「テクスト」に直面することで、混乱してしまうのです。こうした「理解のズレ」こそが、「認知的不協和」と呼ばれる現象にほかなりません。

このような事態に直面した場合、読者はジレンマに陥ることになります。もし、「認知的不協和」を解消したいならば、私たちは物語の解釈を変えるか、あるいは自分が今まで持っていた、「正義は報われる」という図式（世界観）を変えなければなりません。「開かれた終わり」を描く作者のねらいは、まさにこうした「世界観の転覆」にあると言えます。すなわち、多様な解釈の余地を残すことで、読者が当たり前に思っていた、自らの「図式＝世界観」そのものにゆさぶりをかけることにあるのです。[*8] この点について、青砥は新美南吉[*9]の童話『ごんぎつね』を例に解説しています。『ごんぎつね』は、キツネの「ごん」が主人公の物語です。ごんはとてもいたずら好きな性格で、川でうなぎを獲ろうとする兵十にわるさばかりしていました。ある日、兵十の母親が亡くなったことを知ったごんは、兵十の母親はきっとうなぎを食べたかったにちがいないと感じ、ひどく後悔します。その日以降、ごんは自分の罪をつぐなおうと、毎日兵十の家に栗を届け始めました。しかし、そのことを知らない兵十は、ある日ごんを火縄銃で撃ってしまいます。ごんのそばにあった栗を見つけた兵十は、ごんがいつも栗をくれていたことを知り、がっくりとうなだれて物語は幕を閉じます。

青砥は、「ごんが兵十に撃たれて死ぬ」という結末が、読者に強烈な「認知的不協和」を引き起こすと指摘しました。[*10] 実際、小学生に『ごんぎつね』を途中まで読ませて物語の結末を予想させた際、ほとんどの生徒がハッピーエンドを期待していたという調査結果も出

＊8　同上、四頁。
＊9　児童文学作家（一九一三～四三）。鈴木三重吉、北原白秋らに認められたが、結核のため夭折。没後、『花のき村と盗人たち』などが刊行され、その近代性が再評価された。
＊10　青砥、前掲書、五頁。

ています。[*11] つまり、読者の多くは「罪はつぐなうことができる」「誠意を尽くせば分かってもらえる」などの一般的な価値観（図式）に基づいて『ごんぎつね』を読んでいたと言えるでしょう。

しかしながら、「ごんが兵十に殺される」という結末部分は、まさにこうした読者の価値観を裏切るものにほかなりません。結果的に、『ごんぎつね』のラストシーンは読者に非常に強いショックを与えることになったのです。

さらに、読者は自分たちの価値観が果たして正しいのか、もう一度振り返って考えるよう迫られます。「自分はなぜハッピーエンドになると期待したのか？」「そのような期待はどんな価値観や世界観にもとづいているのか？」「そうした価値観（図式）は果たして妥当と言えるのだろうか？」などといった問いを自分自身に発し続けることで、新たな価値観を見いだしていくことができるのです。[*12] このように、「開かれた終わり」は私たちを動揺させると同時に、読者自身の価値観を変化させるという点で、大きな役割を果たしていると言えるかもしれません。

◆物語に「終わり」はあるのか？

結末を語るうえで最後に考えたいのは、そもそも物語に終わりはあるのかという点です。例えば、ドイツ文学者の高橋義孝*13は、物語の結末について次のように述べています。

文学作品は芸術作品のような意味で「終って」はいないので、また「終る」ことができないので、また元来「終る」ものではないので、それであるからこそ却って「終り」という符牒をぶら下げているのではないか。*14

なぜ彼は文学に「終わり」がないと考えたのでしょうか？　高橋は続けて次のように語っています。

＊11　小林好和「授業場面における理解過程に関する研究（7）―文学作品の『一次読み』における予期推論と原文展開の統合について―」『札幌学院大学人文学会紀要（83）』札幌学院大学、二〇〇八年、一三〇頁。

＊12　青砥、前掲書、七頁。

＊13　ドイツ文学者（一九一三〜九五）。深層心理学を援用した文学理論を完成させた。ほかに評論『森鷗外』、『近代芸術観の成立』など。

＊14　高橋義孝『文学非芸術論』新潮社、一九七二年、一五一頁。

作品の中の諸人物やいろいろの問題は、作品そのものは終ってしまっても、そのままわれわれの現実の中に入ってきて、われわれの現実の一片として生き続けて行くことができる［中略］私はこの未完了性——われわれの生もその志向するところから言えばつねに未完了状態にある——ということを文学の最大の形式的特性と見たい。[*15]

文学は、私たちの人生と隣り合わせにあります。作品を読み終わった後も、それをどう解釈すべきかについて、ずっと考え続けなければなりません。また、生きていくうちに自分の世界観が変わり、それまで作品に対して持っていた考えが一変することもあるでしょう。

実のところ、「文学が現実世界と連続している」ことを一番強く意識していたのは、もしかすると作家自身かもしれません。三島由紀夫は、小説『豊饒の海』の入稿日に、陸上自衛隊の市ヶ谷駐屯地で割腹自殺しました。[*16] そこには、文学作品が決して筆を置いたと同時に「終わる」ものではないという強い意識があったのかもしれません。[*17] さらに、川端康成の小説『千羽鶴』は、一応作品としては完成していますが、主人公が持つ「罪の意識」は解消されていません。[*18] これは川端自身が、自分の「罪の意識」に苦しんでいたからであるという指摘もあります。[*19]

このように、すぐれた物語の多くは「解決不可能」な問題をテーマに据えているため、読者は「これで終わりだ」という終結感を感じることがなかなかできないかもしれません。しかしながら、そうした「不完全な」作品こそが、私たちの「生の重み」に耐えうるだけの深さを秘めていると言えるのです。

＊15　同上、一五三頁。
＊16　三島由紀夫は『豊饒の海』入稿日の一九七〇年一一月二五日に陸上自衛隊東部方面総監の益田兼利を監禁し、自衛隊員に決起を呼びかける演説を行ったのち、割腹自殺した。
＊17　石原昭平「作品の結末」『日本文学（22）』日本文学協会、一九七三年、二九頁。
＊18　川端康成は一五歳になるまでに肉親をすべて亡くし、孤児となった。その後は常に心を閉ざして他人の顔色をうかがうような生活をする一方で、そのようなひがんだ自分の性格を嫌い、自らを強く責めていたといわれている。
＊19　梅澤亜由美「『千羽鶴』から『波千鳥』へ—川端康成がめざしたもの」『日本文學誌要』法政大学、一九九八年、五七～六〇頁。

おわりに

この本を書くにあたって、文学をより深く味わうために必要な概念を説明し、例証し、なぜそうした概念が重要な役割を担っているのかについて、読者に解き明かすように努めました。本書は文学の入門書として、なるべく簡潔かつ明快に書くことを目指していますので、特別な専門的知識がなくても楽しく読めるようになっています。

こうした本を書こうと思った背景には、昨今の国語教育に対する危機感がありました。文学者の石原千秋は、『国語教科書の思想』の中で、戦後の国語教育が教訓めいた道徳教育になっていることを指摘しています。授業では文学作品に対する批評的な読みは行われず、小説を読む技術も積極的に教えられることはありません。むしろ、作品に含まれている作者の意図や訓話を読みとるだけの自己形成の場として国語が利用されているのです。

もちろん、道徳を身につけることは、これから社会で活躍する若い人にとって有益であることは言うまでもありません。しかしながら、それはあくまでも道徳や倫理の授業において教えられるべき事柄なのではないでしょうか。国語の現場ではむしろ、文学の読み方を教えることこそが、本来あるべき授業の姿であると言えます。

また、そうした読み方を学ぶことは、大学で文学を研究しようと思っている学生にはもちろん、小説をもっと深く味わいたいと思っている数多くの小説愛好家にとっても有益になるはずです。何よりも、そうしたさまざまな読み方を味わうことこそ、私たちの人生を豊かにすると言えるのではないでしょうか。

本書では二〇個のレッスンを通して、読書への手ほどきを行い、読者のみなさんに文学への「入り口」を提供しています。思想家ルートヴィヒ・ウィトゲンシュタインの比喩を借りるならば、この本はいわば、文学という高みにのぼるためのハシゴのようなものと言っても良いでしょう。文学についてより専門的な知識を得たいと願うようになったら、ぜひこの本を次の世代に託し、自らはさらなる高みにのぼっていただければと思います。

私自身、この本を著すことで、多くのことを学ぶことができたように感じています。最後に、この貴重な機会を与えてくださった雷鳥社の方々、とくに編集者の甲斐菜摘さんに心から感謝の意を伝えます。

二〇一一年七月一一日　小林真大